PAGE CREDITS // C[illegible]

LETTRAGES [illegible] **[illegible]IGA**

Remerciements

Mlle Yukiko KAWASHIMA & Mlle Nanae HAYASHI
de LIBRE PUBLISHING pour leur soutien et leur confiance,

M.Teruhisa TAKII & Mlle Chiaki SEKINE
de TOHAN CORPORATION,

et tous les auteurs d'avoir accepté de participer à cette aventure,

la communauté de notre blog Boy's Love pour leur soutien,
et tous les fans de Yaoi sans qui ce magazine n'aurait
pas de raison d'être !

Bonne lecture et rendez-vous en novembre pour le numéro 9 !!

Le courrier des lecteurs

Nous vous invitons à vous exprimer sur le magazine, les séries qu'il contient, les auteurs que vous aimez, le Yaoi en général !! Votre avis est indispensable pour nous et, nous en sommes convaincus, pour les autres lecteurs qui, comme vous, ont envie de partager cette passion pour le Boy's Love !! Pour ce faire rien de plus simple, écrivez-nous par mail :

bexboy@asuka.fr

ou par courrier simple :

ÉDITIONS ASUKA
BE X BOY MAGAZINE
45 rue de Tocqueville
75017 Paris

Nous sélectionnerons parmi vos courriers les plus intéressants et nous en publierons des extraits dans nos pages !!

FAN FIC'

Après un temps d'absence, les fanfics sont de retour ! Tout d'abord nous avons le plaisir de vous présenter un autre chapitre de CORALIE, qui, toujours situé dans l'univers de *Bleach*, raconte l'histoire d'un jeune homme obsédé par la beauté qui doit tuer pour supporter la laideur de la Soul Society. La fanfic de LYSE trouve son originalité dans le fait qu'elle se déroule en France, mettant en scène le premier et seul véritable amour d'un jeune gay bien de notre époque.

L'HISTOIRE DE YUMICHIKA OU LA HONTEUSE MAGNIFICENCE

Et toi? Quelle est ta couleur préférée?

Même si une âme perd la quasi-totalité de ses souvenirs terrestres lors de son passage du monde réel à la Soul Society, certaines choses, telles des traits de caractère, des goûts ou même des manies, restent, elles, ancrées chez la personne décédée. C'était le cas d'Ayasegawa Yumichika. Durant sa vie mortelle, il avait vécu dans une de ces maisons de plaisir de l'Époque d'Edo. Son côté efféminé et coquet, ainsi que son culte de la beauté étaient deux des principales caractéristiques de sa personnalité. Par une cynique ironie du sort, le jeune homme s'était retrouvé dans un des quartiers aussi misérables et sales que celui d'Ikkaku, qui était des plus dangereux et sordide. Yumichika apprit cependant à se battre, à lutter, non pas pour sa survie, il s'en moquait presque, mais pour détruire cette laideur qui l'entourait et qui l'insupportait. Et aussi, tout comme Ikkaku, pour rompre avec sa solitude. Car, au fond de lui, il recherchait quelqu'un pour qui il se sentirait, non pas beau, mais au fond des yeux duquel il brillerait. Et c'était pour cette raison qu'à chaque rixe, à chaque combat, il risquait sa peau. Pour se sentir resplendissant de vie.
Il avait provoqué tout un groupe de voleurs et, malgré sa victoire, Yumichika avait été sérieusement blessé. Il s'était adossé à un arbre en bougonnant.
"Ce n'est vraiment pas beau, se plaignit le jeune homme. C'est même d'une laideur exaspérante."
Puis, il sombra dans l'inconscience.
C'était un immense champ d'orchidées blanches. Tout était trop lumineux, d'autant que le vent faisait virevolter des centaines de pétales. Soudain, une plume dansa sous ses yeux violets. Yumichika la saisit délicatement, l'air perplexe. C'était une plume de paon.
"Qu'est-ce...
- Yumichika, cela faisait longtemps que je t'attendais. Ce blanc commençait à m'aveugler.
- Pardon ? Je ne comprends rien à ce vous dites. Et qui êtes-vous, d'abord ?
-Qui je suis ? Voyons, Yumichika. Un être aussi beau que moi, il est impossible que tu ne puisses avoir conscience de mon existence.
- Vraiment ?
- Tu ne sembles pas me croire. Dans ce cas..."
Avant que Yumichika ne puisse ajouter quoi que ce soit à cette conversation des plus étranges, un immense et magnifique paon aux plumes scintillantes et dont certaines avaient des orchidées légèrement écloses aux extrémités apparut devant ses yeux. L'animal avait des reflets azurés sur les yeux des plumes, ce qui le rendait vraiment très beau et impressionnait par sa taille qui s'approchait plus de celle d'un humain que d'un paon ordinaire. Yumichika resta interdit, sans savoir quoi dire de sarcastique. Cette chose ne pouvait le surpasser en beauté.
"Alors, surpris ? Reprit l'animal d'un ton dédaigneux. C'est normal. Un chef-d'œuvre tel que moi ne pouvait que te surprendre.
- Qui diable es-tu ?
- Allons, tu es peut-être beau, mais pas stupide, j'espère, répliqua le paon sur le même ton dédaigneux. Je suis une partie de toi. Je suis l'âme de ton Zanpakûto, ton katana. Tu es un shinigami. Si tu m'acceptes en tant qu'allié, alors on pourra devenir très forts mais aussi encore plus beaux. Tu as beaucoup évolué depuis que tu as commencé à te battre. Mais il serait temps pour toi de passer à un stade supérieur.
- Et qu'est-ce qui pourrait me faire croire que tu veux bien me prêter ta force ?"
L'animal soupira.
"Je sais que tu connaissais mon existence avant, mais ton orgueil et ton arrogance ne te rendent pas les meilleurs services pour me comprendre.
- Te connaître?
- Je ne pourrai pas te prêter ma force si tu ne découvres pas mon nom.
- Et tu ne me le donnes pas ?
- Non, parce que tu n'as pas assez confiance en moi. Si tu parviens à trouver mon nom, nous pourrons resplendir ensemble, si tu le souhaites.
- Azur...
- Pardon ? C'est ma couleur préférée. Comment...
- Ruriiro Kujaku. C'est ton nom, n'est-ce pas?" Fit Yumichika, tenant un mince ruban rouge entre ses doigts.
Il avait été quelque peu surpris par la puissance de son Zanpakûto et sa nature. Il se sentit à la fois fier et un peu vexé. Il aurait aimé quelque chose de plus beau, c'est-à-dire de bien plus agressif. Cependant, il parvint à une espèce d'accord tacite avec Ruriiro Kujaku. Lorsqu'il l'appellerait Fuji Fujaku, alors ce dernier ne révélerait qu'une toute petite partie de sa puissance. Sous cette forme libérée, Yumichika paraissait menaçant et agressif, donc beau. De cette manière, il pouvait se battre comme un vrai guerrier, tout en sachant pertinemment que ses capacités réelles étaient largement supérieures à celles qu'il utilisait. Ce qui lui donnait une impression de beauté cachée prête à éclore.
Mais malgré tout, une seule chose lui manquait malgré la présence invisible de Fujaku. C'était quelqu'un.

UNIQUE AMOUR

Je me réveille en sursaut, couvert de sueur. Cette nuit, j'ai encore rêvé de lui, le seul amour de ma vie. Déjà quinze ans se sont écoulés depuis cette fameuse journée. Je me prends la tête et la douleur lancinante revient dans mon cœur.
Étienne courait devant moi. Son dos nu et musclé se jouait des ombres de la lumière tombante. Il riait. Moi, je le suivais comme un petit chien. Une habitude, jamais perdue depuis l'école maternelle.
"Yann !"
Je m'arrêtai et secouai la tête. Je l'observai s'éloigner progressivement, sous la cime des arbres, près de la falaise. Il se retourna et me vit immobile. Il fit la grimace et revint près de moi.
"Yann, tu n'es pas drôle, aujourd'hui..."
J'éclatai de rire. Moi, drôle ? Depuis quand ? J'ai perdu mon humour au moment où j'ai compris que mes sentiments envers lui s'étaient mués en une émotion plus profonde, il y a quelques mois. Malgré tout, je restais sensible au sien.
"Allez, maintenant, c'est toi le chat !" me dit-il avec un sourire arrogant.
Celui-là alors... Il sait parfaitement qu'il court plus vite que moi. Je tendis un bras mais il s'esquiva promptement. Je grognai. Déjà, il s'en allait vers la crevasse dont grand-père nous avait interdit d'approcher, à cause des infiltrations de terrain, paraît-il. Je m'avançai calmement. Il s'arrêta. Je fis de même. Soudain, je m'élançai quand je sentis le sol céder sous mes pas.
"Yaaannn !!"
Des bras tièdes m'entourèrent tandis que je tombais dans cette fichue crevasse. Une saillie me mordit violemment au pectoral gauche, puis l'arrêt brutal sur un mélange d'eau et de boue. Silence et froideur. Le visage inquiet d'Étienne apparut dans mon champ de vision. Il avait en partie amorti ma chute.
"Yann, ca va ?"
je hochai la tête. Il soupira et sourit.
"Plus de peur que de mal, alors. On dirait qu'on est tombés dans une fissure de la falaise. Faut pas compter escalader les parois. Il n'y a plus qu'à attendre."
Je me redressai et haussai les épaules.
"Yann, tu saignes !"
Il se leva et se dirigea vers l'eau la plus claire dans ce trou. Il sortit un mouchoir et le trempa. Il revint vers moi et m'enleva doucement mon T-shirt. Il le pressa sur ma blessure et la lava. Mon cœur se mit à battre la chamade et mon souffle s'accéléra. Je m'appuyai sur la paroi, pris de vertige. Étienne se colla près de moi.
"C'est presque fini".
Je baissai la tête, priant pour qu'il ne remarque rien. Une dernière caresse et je tremblai. L'odeur de son after-shave était virile et voluptueuse.
"Yann ? Yann ?"
Je sursautai violemment. Il fronça les sourcils.
"Yann ? Ça va ? Tu n'es pas sonné ?"
Je secouai la tête. Les battements de mon cœur ne ralentissaient pas. Mais Étienne ne s'éloignait toujours pas. Incapable de soutenir son regard, je me détournai.
"Yann, je me pose la question. Depuis quelques mois, tu me sembles plus... distant. Est-ce que tu... (soupir) Tu serais amoureux de moi ?"
Surpris, je le regardai mais ne pus m'empêcher de rougir. Il me dévisagea avec gravité et comprit mon trouble.
"Je vois."
Et il se mit à m'embrasser doucement, puis passionnément. Il me caressa tendrement et sentit ma joie de m'être fait comprendre. Il lécha ma blessure et descendit lentement, toujours plus bas. Je dégageai mon pied gauche de mes vêtements. Je sus qu'il venait de pénétrer mon intimité. Ensuite, la douleur et le plaisir m'indiquèrent le va-et-vient de nos hanches emmêlées. C'est si bon de s'aimer...
Des cris me réveillèrent, dans les bras d'Étienne. Nos parents, qui ne nous voyaient pas revenir, étaient partis à notre recherche. Quand, après sa sieste, grand-père sut pour notre disparition, il orienta la battue vers la falaise. Nous ressortîmes fatigués et couverts de boue, mais heureux. Nous gardâmes le silence malgré les demandes répétées de nos familles.
Je ne l'ai jamais revu depuis ce jour.
Deux jours plus tard, sa famille dut partir en catastrophe auprès des grands-parents malgaches malades. Aucune lettre, aucun appel. Plus aucun signe d'Étienne, mon premier amour.

En rentrant ce soir, j'ai la surprise de voir une lettre de mes parents, eux qui m'écrivent si rarement. Il faut dire que mon coming-out laisse encore des traces. Dans l'enveloppe, il y en a une autre, plus petite. Elle vient de Madagascar. Fébrile, je l'ouvre brutalement.

"Yann,
Voilà plus de quinze ans que je ne t'ai pas contacté. Je te demande pardon pour mon silence. Depuis le jeu du chat sur la falaise, ce jour-là, je n'ai jamais pu te sortir de ma mémoire... Ni même de mon cœur.
Quand nous sommes tombés dans la crevasse, j'avais des doutes sur tes sentiments. Mais ton amour m'a fait chaud au cœur et très plaisir. Moi qui t'aimais tellement, toi, le garçon de 16 ans si discret... Malheureusement, j'ai dû partir très vite et je n'ai pas pu te dire adieu.
Si je t'écris maintenant, c'est pour te dire que tu as été mon seul amour et que je n'en ai jamais aimé d'autres que toi. Mes parents ne comprennent pas mon silence envers ta famille, vous qui avez été si chaleureux avec nous. Mais je sais que mon père et ma mère n'auraient jamais approuvé notre relation. Ils veulent m'imposer un mariage cette année.
Alors j'ai pris mon courage à deux mains et j'expédie ma raison et mon cœur vers toi. Quand tu auras reçu cette lettre, je ne serai plus à leurs côtés, mais je veillerai sur toi avec tout mon amour, pour l'éternité.
Je t'aime.
Étienne"

Mes larmes coulent sur le papier. Sous la signature, un numéro de téléphone étranger. Je sais ce que ses parents me diront. Je le sens. Je ne les appellerai pas. Le connaissant, il ne leur a rien laissé. Ils ne comprendront jamais son geste. Maintenant, c'est à moi de chérir sa mémoire, ses sentiments, sa vie passée.
Ma sœur arrive et me découvre à terre, prostré. Elle est au courant, mes parents le lui ont dit, après l'appel malgache. Notre chagrin va à une seule personne, celui qui fut mon unique amour.

COURRIER

Bonsoir,

Je suis un fidèle de votre magazine depuis quelque temps, mais malheureusement je ne me suis souvenu de son existence qu'à partir du numéro 5... Et donc j'aurais voulu savoir s'il était possible de me procurer les quatre numéros précédents, sans quoi ma lecture des autres numéros ne pourrait être complète, étant donné que je ne vois aucune page "anciens numéros" dans les pages de ce cher magazine que j'aime tant.

En espérant recevoir une réponse très vite,je vous souhaite une bonne continuation.

Cordialement,

ALEXANDRE

Cher Alexandre, merci pour ton courrier. J'avoue que nous recevons beaucoup de demandes similaires à la tienne. Certains fans ont omis d'acheter tel numéro ou alors n'ont connu l'existence du magazine que tardivement. Tu me donnes donc l'occasion de leur répondre à tous par la même occasion.
BExBOY est un magazine de prépublication. De ce fait, notre politique est de ne pas les réimprimer. Nous faisons en sorte d'en imprimer en quantité suffisante, mais ce sont des choses qui arrivent. Maintenant, je comprends la difficulté de suivre des histoires déjà commencées. Mais je te rassure, le système du magazine reposant sur un roulement des séries tous les trois numéros, la totalité du contenu des trois premiers et plus de la moitié des trois numéros suivant sont d'ores et déjà disponibles dans le commerce en volume relié. C'est le cas de *Whispers*, *Do you know my detective ?! Lovely teachers !*, *Viewfinder* 1 et 2, *Silent Love* 1 et 2, etc. Si tu as commencé au numéro cinq, le seul que tu as réellement manqué, c'est le début de *School of the Muse*. Mais sa sortie est prévue pour octobre.
Pour éviter tout ceci, mon conseil serait donc de vous procurer les nouveaux numéros pas trop tard pour ne pas rater les petits bonus comme les pages couleur, les posters et les chroniques et articles. Sinon, pour les plus anciens, peut-être vous tourner vers le marché de l'occasion.

Tous d'abord, un grand merci pour le travail que vous faites, (surtout lorsqu'on voit le prix du magazine, comparé à certain mangas, et puis cela permet de découvrir plusieurs séries, et même si l'une ne plaît pas, la suivante peut être un véritable coup de cœur). Ce magazine est, je pense, devenu indispensable aux fervents yaoistes. Les couvertures sont toujours magnifiques, c'est d'ailleurs celle du BExBOY 7 qui m'a finalement conquise, et m'a poussée à acheter ce magazine que je ne connaissais que de nom. Et c'est avec impatience que j'attends désormais le numéro 8 !
Cependant, bien que je n'aie aucune remarque en particulier à faire, j'ai une question. J'ai déjà une petite idée de ce que j'aimerais faire comme études, mais en découvrant ce magazine de prépublication consacré au yaoi, je me suis immédiatement dit que j'aimerais beaucoup travailler dans cet univers. C'est justement en y réfléchissant sérieusement que je me suis demandé quelles études je devrais faire pour, peut-être, faire un jour partie de l'équipe...
Je vous remercie de votre aide grâce à votre future réponse !
Encore une fois, félicitations pour votre travail, et longue vie à BExBOY !

CHARLIE

Merci, Charlie. Comme tous les messages d'encouragements et de remerciements, d'ailleurs. On met vraiment beaucoup d'énergie dans ce magazine et le voir apprécié des lecteurs est notre plus belle récompense.
Pour répondre à ta question. Dans une équipe éditoriale, il y a plusieurs postes possibles. Pour simplifier, on peut les répartir sur deux pôles. L'éditorial qui travaille sur le contenu, les textes... Et le graphique, sur l'aspect visuel, les images. Et là encore, il y a plusieurs possibilités. Demande-toi quels sont tes points forts et tes intérêts. Je te recommande fortement de voir avec une vraie conseillère d'orientation qui te donnera les postes existants dans le domaine de l'édition.
Bon courage et peut-être à bientôt.

FANARTS

KASUMIRINDO

DROSSELMEYER

JUN-JUN-JEWEL

ENCORE UNE FOIS, NOUS AVONS EU LE DROIT À DES ILLUSTRATIONS MAGNIFIQUES. MERCI !!

DAVY

L'HOROSCOPE

Que t'ont donc réservé les

Capricorne
du 22 décembre au 20 janvier

AMOUR
En couple, tu t'ennuies, tu aimerais que ça bouge un peu plus ! Les initiatives peuvent venir de toi aussi, alors prends les choses en main !
Célibataire, tu te remets tranquillement d'un été torride. Tu aimerais encore t'amuser...

TRAVAIL
On te préviendra d'un grand changement à venir, à toi de te préparer au mieux pour t'adapter comme il faut !

CONSEILS
S'aimer tel que l'on est, c'est parfois difficile à cause de tous nos défauts... N'aie pas peur de t'aimer !

TA COULEUR FÉTICHE
Bleu pétrole

Verseau
du 21 janvier au 19 février

AMOUR
En couple, vous rejetez mutuellement la faute sur l'autre... Grandissez un peu !
Célibataire, tu acceptes toutes les invitations à sortir que te font tes amis, histoire de te changer les idées !

TRAVAIL
Même si le travail en groupe t'agace plus qu'autre chose, l'opinion d'un autre te sera prochainement bien utile.

CONSEILS
Il ne faut pas ressasser en silence. Laisse plutôt sortir ta colère si tu es frustrée et contrariée.

TA COULEUR FÉTICHE
Abricot

Poissons
du 20 février au 20 mars

AMOUR
En couple, tu auras tendance à penser plus à tes amis et à ta famille. N'oublie pas ton couple pour autant !
Célibataire, tu n'aimes pas les complications. Et tu es très satisfaite de ta situation du moment !

TRAVAIL
Tu feras preuve de prudence, et tu sauras quand demander des conseils à un collègue plus expérimenté.

CONSEILS
Laisse-toi, pour une fois, guider par ton inspiration et surtout ton intuition !

TA COULEUR FÉTICHE
Lilas

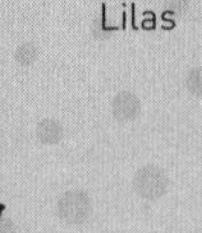

Cancer
du 22 juin au 22 juillet

AMOUR
En couple, tu t'inspireras de tes expériences passées pour faire évoluer ta vie de couple.
Célibataire, tu profiteras de ce qu'il reste d'été pour reprendre contact avec d'anciens amis.

TRAVAIL
Tu chercheras bientôt à t'imposer plus, mais tu auras du fil à retordre !

CONSEILS
Tu n'y crois peut-être pas trop pour l'instant, mais des couleurs vives au mur ou de la nouvelle déco, c'est un bon moyen pour te réchauffer le cœur !

TA COULEUR FÉTICHE
Nacarat

Lion
du 23 juillet au 23 août

AMOUR
En couple, ce n'est pas la symbiose parfaite en ce moment. Les relations sont tendues et vous êtes deux à en souffrir !
Célibataire, tu te poseras bien des questions à propos d'une personne avec qui tu as beaucoup de complicité.

TRAVAIL
Tu ne lésineras pas sur les heures de recherches pour t'améliorer.
Tu en seras récompensée !

CONSEILS
Quand l'ambiance est électrique autour de toi et que tu ne supportes aucune remarque de la part de ton entourage... Il est temps de prendre du recul !

TA COULEUR FÉTICHE
Pêche

Vierge
du 24 août au 23 septembre

AMOUR
En couple, tu prendras conscience des désirs refoulés de ta moitié.
Tu en tiendras compte et les respecteras.
Célibataire, après une période de doute, tu te sens mieux dans ta peau et tu attires les regards tel un aimant !

TRAVAIL
Tu as la pêche ! Ta volonté ira en s'affirmant, et tu mobiliseras toute ton énergie pour atteindre tes objectifs !

CONSEILS
Relativise les mauvais moments en t'offrant du bon temps avec des amis. C'est leur énergie qui t'aidera à recharger tes batteries !

TA COULEUR FÉTICHE
Orpiment

Notre voyante tient à s'excuser auprès de nos lecteurs masculins qui pourraient se sentir exclus de ces prévisions ! Pensez qu'il s'adresse à la part féminine que vous avez tous en vous !

PLANNING DES

SEPTEMBRE

09/09/2010
- Lover's Doll **ASUKA**

16/09/2010
- Vanilla Star **ASUKA**

23/09/2010
- Lovers and Souls **TAÏFU**
- The tyrant who fall in love t.2 **TAÏFU**
- ZE t.1 **TAÏFU**

29/09/2010
- Pirate Game **TONKAM**

OCTOBRE

21/10/2010
- Love mode t.8 **TAÏFU**
- Aijin incubus t.2 **TAÏFU**
- Interval **TAÏFU**
- Yebisu Celebrities t.2 **ASUKA**

astres pour ces deux mois à venir ?

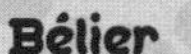

illustrations © din

Bélier

du 21 mars
au 20 avril

AMOUR

En couple, tu voudras vérifier ton pouvoir de séduction sur ton partenaire. (C'est bon, tu lui fais toujours de l'effet.)
Célibataire, un changement se profile côté cœur, et tu l'attends avec impatience !

TRAVAIL

Tu avais pour habitude d'aimer travailler dans l'ombre, au sein d'un groupe, mais tu chercheras maintenant à briller un peu plus !

CONSEILS

Attention aux tensions nerveuses. Prends le temps de te relaxer car tu risques de te coincer le dos ! (Ce n'est pas réservé qu'aux vieux !!)

TA COULEUR FÉTICHE

Pourpre

Taureau

du 21 avril
au 21 mai

AMOUR

En couple, un accord est enfin trouvé sur un sujet très épineux. Vous êtes tellement soulagés !
Célibataire, une vague de sensualité t'emporte et chamboule pas mal ta vie !

TRAVAIL

Les astres t'encouragent à prendre un nouveau tournant dans ta vie, à te lancer de nouveaux défis professionnels !

CONSEILS

Tu as beau être championne du monde de la comédie et de l'illusion, tu ressens le besoin qu'on voie et qu'on accepte "ton vrai toi"...

TA COULEUR FÉTICHE

Réglisse

Gémeaux

du 22 mai
au 21 juin

AMOUR

En couple, tu as soif de renouveau au sein de ton couple, tu aurais besoin d'inspiration, d'un déclic...
Célibataire, tu pourrais vraiment changer ta vie si tu le désirais. Tu pourrais même provoquer un début d'idylle, rien de moins !

TRAVAIL

Tu te retrouveras carrément dépassée par le retard qui s'est accumulé ! Il ne sera cependant pas trop tard pour le rattraper.

CONSEILS

Croque la vie à pleines dents, sans réfléchir aux conséquences ! Ne te prive pas de faire la fête, de voir tes amis ou ta famille.

TA COULEUR FÉTICHE

Taupe

Balance

du 24 septembre
au 22 octobre

AMOUR

En couple, tu auras envie de faire plaisir à ton partenaire, alors ne lésine pas sur les moyens pour le combler.
Célibataire, il y a cette personne avec qui tu aimerais bien "transformer l'essai", mais tu te heurtes à des difficultés diverses !

TRAVAIL

Il faudra accepter certaines tâches et faire un sacrifice. Mais tu le feras sans que cela te perturbe trop.

CONSEILS

Parfois, il suffit simplement d'attendre que l'orage passe, sans exiger quoi que ce soit de la part des autres.

TA COULEUR FÉTICHE

Zinzolin

Scorpion

du 23 octobre
au 22 novembre

AMOUR

En couple, tu auras la très pénible impression qu'il te cache quelque chose !
Célibataire, tu es dans une forme olympique, et cette formidable énergie te rend irrésistible...

TRAVAIL

Tu partageras davantage avec certains de tes collègues. D'autres seront encore très réticents, mais tu ne t'en offusqueras pas.

CONSEILS

Il n'y a rien de ridicule à vouloir prendre du recul pour réfléchir à l'orientation que tu souhaites donner à ton existence !

TA COULEUR FÉTICHE

Vert amande

Sagittaire

du 23 novembre
au 21 décembre

AMOUR

En couple, tu aimerais que les choses se passent toujours comme tu le souhaites, mais tu n'as pas le pouvoir de tout contrôler, même ta tendre moitié !
Célibataire, cesse d'être trop cérébrale et laisse parler ton cœur et ton corps...

TRAVAIL

Ton corps est au travail mais ton esprit totalement ailleurs. Tu tenteras d'adopter la bonne attitude pour que cela ne se voie pas trop...

CONSEILS

Tu attendais mollement, mais ça y est, c'est le moment de faire une cure de vitamines, de refaire du sport ou un petit régime... Bref, de t'occuper de ton corps !

TA COULEUR FÉTICHE

Rose dragée

SORTIES BOY'S LOVE

NOVEMBRE

10/11/2010

- School of the Muse t.1 **ASUKA**

18/11/2010

- Welcome to the chemistry lab t.2 **ASUKA**

25/11/2010

- Seven days t.1 **TAÏFU**
- Escape **TAÏFU**
- The tyrant who fall in love t.3 **TAÏFU**
- Only love **TAÏFU**
- Viewfinder t.3 **ASUKA**

J'ENTENDS LE SON AGRÉABLE DE VOTRE VOIX QUI M'APPELLE.
ALORS... LENTEMENT, OFFRONS-NOUS AU PLAISIR ...
ET JOUISSONS TOUS LES DEUX DE NOTRE ROMANCE ...
Romantic / Fin

"ENLACEZ MES ÉPAULES ...
ET REGARDEZ-MOI DANS LES YEUX."
KONRAD ...
"VOUS OUBLIEREZ BIEN VITE CETTE SENSATION CRUELLE ...
NOUS SOUFFRONS ENSEMBLE DU MÊME POISON ...
PLONGEZ PASSIONNÉMENT DANS MON REGARD."
KONRAD ...

"QU'EST-CE QUE C'EST ?"
"C'EST UN MÉDICAMENT QUI NOUS LIERA POUR L'ÉTERNITÉ."
"NE VOUS EN FAITES PAS, CE SERA INDOLORE.
DANS CINQ JOURS, NOUS LÈVERONS NOS VERRES ENSEMBLE POUR LE BOIRE."
"IL M'IMPORTE PEU DE SOUFFRIR."
CE N'EST PAS DOULOUREUX.
MAIS SI JAMAIS CELA LE DEVENAIT ...
ENLACEZ MES ÉPAULES ET REGARDEZ-MOI DANS LES YEUX.

"NOTRE JOUISSANCE …
ATTEINT DES SOMMETS DE PLAISIR ENCORE INEXPLORÉS PAR L'ÊTRE HUMAIN."
AAH …
JE VAIS MOURIR …
AAH …
"ET QUE PENDANT CINQ JOURS, S'ÉPANOUISSENT LES FLEURS DE NOS VICES."
"AAH, KONRAD …
TU NE M'AS JAMAIS MIEUX SERVI QUE MAINTENANT, AVEC TES FESSES SI BLANCHES, TON SEXE PARFUMÉ …
TES LÈVRES VERMEILLES, ET TA LANGUE FRÉMISSANTE."

"À PRÉSENT KONRAD, MONTRE-MOI ...
TON SEXE..."
"TON PÉNIS OBSCÈNE ...
QUI SE DRESSE ENTRE TES POILS BLONDS."
"TON TROU INDÉCENT..."
"MAÎTRE, AAAH...
JE VOUS EN PRIE, PÉNÉTREZ-MOI ENCORE PLUS PROFONDÉ-MENT..."
"ENCORE PLUS PROFONDÉMENT..."
AAAH ...
"NOUS AVONS ENDURÉ CELA SI LONGTEMPS..."

TU EN AS MIS DU TEMPS, KONRAD !
VEUILLEZ M'EXCUSER.
JE VIENS TOUT JUSTE DE ME DÉBARRASSER DES DOMESTIQUES AVEC L'AIDE DE YASUO ...
TU AS BIEN TRAVAILLÉ ...
NON, CE N'EST RIEN DU TOUT ...
EN COMPTANT YASUO, CELA FAIT CINQ PERSONNES EN TOUT ...
ET HANAKO ?
LE CORPS DE VOTRE FEMME EST DANS LA CAVE ...
ENTIÈREMENT NU AVEC LE CADAVRE DE YASUO COLLÉ CONTRE ELLE ...

IL M'EMBRASSA ET CE FUT NOTRE TOUT PREMIER BAISER.
UN PLAISIR SUAVE ET IMMORAL ...

CE CORPS ...
CES LÈVRES ...
TOUT CELA NE T'APPAR-TIENT PLUS ...
TON CORPS TOUT ENTIER EST MIEN.

C'EST TER-MINÉ.
MAÎ-TRE ...
L'ÉPREUVE D'ENDURANCE QUE NOUS AVONS SUBIE DEPUIS SI LONGTEMPS TOUCHE À SA FIN. SE RETENIR N'A PLUS DE SENS, À PRÉSENT.
C'EST À CAUSE DE CETTE DÉTER-MINATION À NE PAS CÉDER À LA TENTATION ...
QUE J'AI ASSASSINÉ CETTE FEMME !
KONRAD !
LA JALOUSIE VA ME RENDRE FOU !
JE VAIS MASSACRER TOUS CEUX QUI ONT TOUCHÉ TON CORPS !

PARCE QUE JE T'AIME ...
KONRAD.
"COMME LE DÉCRIT LE TÉMOIGNAGE DE LA GOUVERNANTE EN CHEF MITSU CI-JOINT, LES NOMBREUX VICES DU MAJORDOME ÉTRANGER, M. NERNST, NE PEUVENT ÊTRE PARDONNÉS.
LES HORRIBLES OUTRAGES COMMIS ENVERS Mme HANAKO MÉRITENT UN CHÂTIMENT MORTEL."
DANS CINQ JOURS, LES AUTORITÉS ...
TROUVERONT LA DÉPOUILLE DE MITSU QUI AURA ÉTÉ PRÉPARÉE À CET EFFET."
"PAR AILLEURS ...
"ILS METTRONT ÉGALEMENT LA MAIN SUR TOUTES LES PIÈCES À CONVICTION PROUVANT LA CULPABILITÉ DES DEUX IGNOBLES MEURTRIERS, M. NERNST ET SON MAÎTRE."
FLAP
MAÎTRE ...
LAISSEZ-MOI PORTER L'ENTIÈRE RESPONSABILITÉ ...
DU MEURTRE DE VOTRE FEMME ...
EN CINQ JOURS, NOUS POUVONS ENCORE TROUVER UNE SOLUTION ...
CE N'EST PAS NÉCESSAIRE ...

IL...
PAAAN
IL ABATTIT SA FEMME D'UNE BALLE DE REVOLVER...
BAM
PARCE QU'IL NE POUVAIT PAS ME FAIRE CONFIANCE.
MAÎTRE...
POURQUOI ?

CE JOUR-LÀ, ELLE ÉTAIT DEVENUE COMPLÈTEMENT HYSTÉRIQUE.
BLANCO M'A VIOLÉE ! C'EST L'ENFANT DE BLANCO ! C'EST SON ENFANT !
ELLE HURLAIT, ET JE...
CROYEZ-MOI, JE VOUS EN PRIE !
C'EST FAUX ! C'EST FAUX !
JE L'IMPLORAIS...
MAIS, IL...
TROP...
C'EN EST TROP...
JE NE PEUX PLUS LE SUPPORTER.

ELLE AFFIRMA QUE J'ÉTAIS LE PÈRE DE CET ENFANT...
QUELLE IMBÉCILE ! DÈS LA NAISSANCE DU BÉBÉ, TOUT LE MONDE S'APERCEVRAIT DE SON MENSONGE !
AVAIT-ELLE FINI PAR PERDRE LA RAISON ? OU BIEN AVAIT-ELLE TOUJOURS ÉTÉ AINSI ?
PEUT-ÊTRE ÉTAIT-ELLE AVEUGLÉE PAR SA VOLONTÉ DE ME FAIRE PAYER POUR CE QUE JE LUI AVAIS FAIT.
QUOI QU'IL EN SOIT, ELLE AVAIT FRAPPÉ JUSTE, CAR LES CRITIQUES ET LES REPROCHES SE RETOURNÈRENT CONTRE CELUI QUI AVAIT FAIT DE MOI SON MAJORDOME.
ET C'ÉTAIT JUSTEMENT CE QUI POUVAIT ME FAIRE LE PLUS SOUFFRIR.
ET CE QUE J'AVAIS ENCORE MOINS CALCULÉ, C'EST QU'IL CROIRAIT LES MENSONGES DE SON ÉPOUSE...
SANS COMPTER QUE J'ÉTAIS INCAPABLE DE LE PROTÉGER. QUI AURAIT ÉCOUTÉ LES DÉMENTIS DE L'AMANT ÉTRANGER ? J'ÉTAIS DEVENU LE FILS DE CHIEN QUI AVAIT RIDICULISÉ UN MARI INCAPABLE DE DONNER UN ENFANT À SA PROPRE FEMME.

MONSIEUR NERNST !
QU'Y A-T-IL, MITSU ?
HU HU ...
ET COMME MON PLAN LE PRÉVOYAIT, ELLE TOMBA TRÈS VITE ENCEINTE DE CET ANIMAL.
AVEC CES PREUVES ACCABLANTES, JE POUVAIS LUI FAIRE PERDRE LA FACE ...
AFIN DE LA FORCER À RÉCUPÉRER LE SOUTIEN FINANCIER DE SA FAMILLE.
J'AI ÉTÉ... C'EST BLANCO... CET ÉTRANGER HÉRÉTIQUE QUI SE PREND POUR NOTRE MAJORDOME !!
J'AI ÉTÉ FORCÉE ! IL M'A FORCÉE !!
CE QUE JE N'AVAIS PAS PRÉVU, C'EST QUE CETTE IDIOTE SE METTRAIT À COLPORTER DES MENSONGES SANS MÊME PRENDRE LE TEMPS DE RÉFLÉCHIR.

J'ÉTAIS PARFAITEMENT CONSCIENT DE LA FRUSTRATION DE CETTE FEMME.
YASUO ...
OUI ?
EN EFFET... EST-CE QUE LA MAÎTRESSE A BIEN PU ME VOIR ?
TU T'ES ENCORE MASTURBÉ DANS L'ARRIÈRE-COUR, N'EST-CE PAS ?
OH OUI... TU PEUX FAIRE CE QUE TU VEUX D'ELLE, À PRÉSENT ...
CET ANIMAL DE YASUO ÉTAIT UN HOMME DOMINÉ PAR SES PULSIONS SEXUELLES ...
L'INCITER ÉTAIT TOUT CE QU'IL Y AVAIT DE PLUS FACILE.
QUANT À ELLE, ELLE TOMBA FOLLEMENT AMOUREUSE DE LUI ET ÉCARTAIT LES JAMBES PRESQUE TOUS LES JOURS.

EN TANT QUE MAJORDOME ET PAR RESPECT POUR LUI, C'ÉTAIT PARFAITEMENT IMPOSSIBLE.
JE M'ÉTAIS ÉGALEMENT PROMIS DE NE JAMAIS COUCHER AVEC SA FEMME.
SI JAMAIS JE L'AVAIS ATTIRÉE JUSQUE DANS MON LIT...
SA FAMILLE AURAIT PU SE DÉTACHER ENCORE DAVANTAGE DES AFFAIRES DU MÉNAGE.
...
MAIS PEUT-ÊTRE ÉTAIT-CE AUSSI...
PAR JALOUSIE QUE JE ME REFUSAIS À ELLE.
SON DÉSIR SEXUEL ÉTAIT TERRIBLEMENT FRUSTRÉ CAR SON MARI LA NÉGLIGEAIT. ET LORS DES RARES OCCASIONS OÙ ILS PARTAGEAIENT LEUR LIT, C'ÉTAIT SANS ENVIE QU'IL LA SERRAIT CONTRE LUI.
...
...
SWOP
SWOP

JE SUIS AFFAMÉ ...
NOS REGARDS ET NOS ENVIES CONVERGEAIENT, ET CET INSATIABLE DÉSIR DE LA CHAIR DE L'AUTRE ÉTAIT UNE TORTURE POUR NOUS DEUX ...
TRÈS BIEN, JE VAIS VOUS PRÉPARER CELA.
NOUS NE POUVIONS NOUS FIER QU'À NOUS-MÊMES POUR NE PAS CÉDER, SI BIEN QUE NOUS NOUS IMPOSIONS UNE INFLEXIBLE MAÎTRISE INTÉRIEURE.
KONRAD ...
JE SAVAIS QUE CETTE PÉNIBLE ENDURANCE AVAIT AP-PROFONDI NOTRE AMOUR MUTUEL.

D'AC-
CORD
...
J'AI
FAIM
...
...
TRÈS
FAIM
...
GWIP

JE M'ÉTAIS JURÉ DE NE JAMAIS COUCHER AVEC LUI...
ET PLUS LES GENS CROYAIENT QUE NOTRE RELATION ÉTAIT COUPABLE...
PLUS MA RÉSOLUTION DE NE PAS LE FAIRE AVEC LUI ÉTAIT FERME. IL EN ÉTAIT DE MÊME DE SON CÔTÉ.
EST-CE QU'IL Y A DES NOUVELLES INTÉRES-SANTES ?
EH BIEN... ÇA SENT LE ROUSSI POUR LA MANDCHOU-RIE.
AH ...
QUE SOUHAITEZ-VOUS MANGER POUR VOTRE PETIT DÉJEUNER ?
LA SOUPE MISO EST EXCELLENTE, CE MATIN.

TU AS COUCHÉ AVEC DES DOMESTIQUES ?
ET AVEC CERTAINS INVESTISSEURS ?
JE SUIS VRAIMENT DÉSOLÉ...
ÇA NE ME DÉRANGE PAS, KONRAD.
TU AS FAIT TOUT CELA POUR MON BIEN, ÇA N'A RIEN D'UNE TRAHISON.
TU AS OFFERT TON CORPS SI PUR À CES PORCS...
C'EST UN SACRIFICE MAGNIFIQUE À MES YEUX.
MAIS C'EST À LA FOIS DOULOUREUX...
DE T'IMAGINER AVEC CES...

BEAU-PÈRE, JE VOUS ASSURE QU'IL N'A CAUSÉ ABSOLUMENT AUCUN SCANDALE.
IL M'A MÊME RAPPORTÉ DEUX NOUVEAUX INVESTISSEURS...
DANS CE CAS, TU N'AS PLUS BESOIN DE MON SOUTIEN FINANCIER !
BEAU-PÈRE...
TU ES AVEUGLÉ PAR SON APPARENCE !
LE SIMPLE FAIT QU'IL EXISTE EST SCANDALEUX !
MÊME L'AIR QU'IL RESPIRE EST SALE ! ET TOUT LE MONDE EST AU COURANT !
TANT QUE TU EMPLOIERAS CET AMANT RÉPUGNANT, TU NE RECEVRAS PAS UN CENTIME DE MA PART !
ET NE T'AVISE PAS DE TOUCHER MA FILLE AVEC TES MAINS SOUILLÉES PAR CET ANIMAL !
SA RÉPUTATION ÉTAIT AU PLUS BAS ET SES RÉSERVES FINANCIÈRES PRESQUE ÉPUISÉES...
MAIS IL NE SE SÉPARA PAS DE MOI.

LA GESTION DES FINANCES DE LA MAISON FAISAIT ÉGALEMENT PARTIE DE MES FONCTIONS ET J'APPRIS AINSI QUE LEUR SITUATION FINANCIÈRE ÉTAIT DANS UN ÉTAT DÉPLORABLE.
LA MAÎTRESSE DE MAISON GASPILLAIT ÉNORMÉMENT D'ARGENT ET LE MODE DE VIE DE SON MARI ÉTAIT ÉGALEMENT EN CAUSE.
J'AVAIS L'INTENTION DE NE RESTER EN ALLEMAGNE QU'UN SEUL MOIS, MAIS FINALEMENT, J'Y AI PASSÉ UNE ANNÉE ENTIÈRE.
M'AVAIT-IL RÉPONDU EN SOURIANT.
HA HA !
DE TOUTE ÉVIDENCE, CELA AVAIT ÉTÉ UNE DÉPENSE FATALE POUR LUI QUI ÉTAIT DÉJÀ PRESQUE RUINÉ.
ET S'ILS AVAIENT RÉUSSI TANT BIEN QUE MAL À PASSER LE CAP, C'ÉTAIT SANS DOUTE GRÂCE AU SOUTIEN FINANCIER DE LA FAMILLE RICHISSIME DE SA FEMME.
IL Y A EU UN VENT DE PANIQUE ET TOUS LES INVESTIS-SEURS SE SONT DÉFILÉS.
SANS COMPTER LE SCANDALE LIÉ À CE MAJORDOME.

LES BELLES CHOSES SONT, ELLES AUSSI, UNIVERSELLES. PAR EXEMPLE, LORSQUE MON IMAGE SE REFLÉTAIT AU FOND DE SES YEUX, OU LE SON DE SA VOIX QUI M'APPELAIT ...
KONRAD !
LUI QUI ÉTAIT LE SEUL À M'APPELER "KONRAD" PRONONÇAIT MON NOM AVEC UN ACCENT MAGNIFIQUE.
KONRAD !
ET SI J'AVAIS LAISSÉ SA FEMME ME DONNER UN NOM DE CHIEN, C'ÉTAIT POUR ÉVITER QU'ELLE NE M'APPELLE "KONRAD", ELLE AUSSI.

MITSU ...
QUE VOULEZ-VOUS, MONSIEUR BLANCO ?
VENEZ HUMER ...
L'ODEUR DE MES POILS PUBIENS ...
GWIP
!!
J'AI ALORS COUCHÉ AVEC UN NOMBRE INCALCULABLE DE DOMESTIQUES, HOMMES ET FEMMES, SANS DISTINCTION DE SEXE...
JUSQU'À CE QU'ILS FINISSENT PAR OBÉIR À MES ORDRES, QU'ILS CESSENT DE ME DONNER DES SOBRIQUETS DE CHIEN, ET M'APPELLENT ENFIN "MONSIEUR NERNST".
LE DÉSIR SEXUEL DÉPASSE LES FRONTIÈRES GÉOGRAPHIQUES ET CULTURELLES ET S'AVÈRE ÊTRE UN EXCELLENT MOYEN DE CORROMPRE ET DE CONTRÔLER LES GENS.

MON POSTE ÉTAIT CENSÉ ME PLACER À LA TÊTE DES DOMESTIQUES DE LA MAISON, MAIS CES DERNIERS NE M'OBÉISSAIENT ABSOLUMENT PAS.
MON-SIEUR BLANCO.
APPELEZ-MOI "MONSIEUR NERNST", JE VOUS PRIE.
VEUILLEZ M'EXCU-SER, JE N'ARRIVE PAS À RETENIR VOTRE NOM...
MON-SIEUR BLANCO.
HA HA HA HA HA HA HA HA HA !
APRÈS TOUT, NE DIT-ON PAS QUE CES ÉTRANGERS POILUS EMPES-TENT ?
CE NOM DE CHIEN LUI VA TRÈS BIEN !
HI HI !
MAIS, MADAME MITSU ...
IL SENT PLUTÔT BON...
ON S'EN REND COMPTE DÈS QU'ON PASSE À CÔTÉ DE LUI ...
TU ES ENCORE UNE EN-FANT, MA PETITE !
ESSAIE DONC DE L'INVITER DANS TON LIT ...
TU T'APERCEVRAS TRÈS VITE DE L'ODEUR QUI ÉMANE DE SES PARTIES INTIMES !
HA HA HA HA HA HA HA HA HA !
CETTE MITSU QUI ÉTAIT À LA TÊTE DES SERVANTES AVAIT BEAU RÉGENTER TOUS LES DOMESTIQUES ...

BIEN ENTENDU, MES RAPPORTS AVEC SA FEMME ÉTAIENT PARTICULIÈREMENT TENDUS DEPUIS LE DÉBUT.
QUI ES-TU ?
JE M'APPELLE KONRAD NERNST, MADAME.
VOUS POUVEZ M'APPELER NERNST.
NER...
CELA SE PRONONCE "NERNST".
C'EST UN NOM BIEN ÉTRANGE, JE NE M'EN SOUVIENDRAI JAMAIS.
DANS CE CAS, VOUS POUVEZ M'APPELER "NER" TOUT COURT.
JE VIENS DE TE DIRE QUE JE NE M'EN SOUVIENDRAIS PAS.
MAIS COMME TA PEAU EST HORRIBLEMENT BLANCHE, JE T'APPELLERAI "BLANCO".
BLANCO !
"BLANCO", C'ÉTAIT LE GENRE DE SURNOM QU'ON AURAIT PU DONNER À UN ANIMAL DE FERME OU À UN CHIEN
...

DE RETOUR DANS SON PAYS, IL ESSUYA REPROCHES ET MOQUERIES ...
PARCE QU'IL AVAIT RAMENÉ AVEC LUI UN ÉTRANGER DONT IL AVAIT FAIT SON MAJORDOME.
VICOMTE, EST-CE QUE VOUS AVEZ PERDU LA TÊTE ?! C'EST UNE MAUVAISE PLAISANTERIE ?!
VOUS AVEZ DÛ VOUS TROMPER, C'EST PLUTÔT VOTRE PROFESSEUR DE LANGUE ?
NON.
C'EST MON MAJORDOME.
C'EST UN HOMME APPLIQUÉ, BRILLANT ...
ET FIDÈLE.
UN MAJORDOME ÉTRANGER !
IL EST AVEUGLÉ PAR SA PEAU BLANCHE ...
ET IL A DIT QU'IL ÉTAIT FIDÈLE ...
CE N'EST RIEN DE PLUS QU'UN AMANT QU'IL A NOMMÉ "MAJORDOME".
ET IL EST LA RISÉE DE TOUS, À PRÉSENT !
LES RAILLERIES ET LES CRITIQUES N'EN FINISSAIENT PAS.

NOUS FÎMES PREUVE D'UNE GRANDE RETENUE ET NOTRE RELATION N'ALLA JAMAIS PLUS LOIN QUE DE SIMPLES GESTES D'AFFECTION.
TANDIS QUE LE JOUR DE SON DÉPART APPROCHAIT...
JE VEUX QUE TU VIENNES AU JAPON AVEC MOI...
ME DIT-IL...
JE VOUDRAIS QUE TU DEVIENNES MON MAJORDOME...
IL ME DEMANDAIT DE TOUT QUITTER POUR LUI.
IL ME DEMANDAIT...
DE PASSER MA VIE À SES CÔTÉS... DE LA CONSACRER À LUI EXCLUSIVEMENT... DE LUI OFFRIR MON EXISTENCE À JAMAIS...
ET DE L'AIMER AVEC RETENUE...
KONRAD ?
TA RÉPONSE ?
JUSQU'À MA MORT.
JA.*

* "JA" SIGNIFIE "OUI" EN ALLEMAND, NDT.

MA FAMILLE A SUIVI MON PÈRE AU JAPON ET POUR CETTE RAISON, J'AI PASSÉ TOUTE MA JEUNESSE À YOKOHAMA. GRÂCE À CELA, QUAND J'AI ÉTÉ EN ÂGE DE TRAVAILLER, J'AI ÉTÉ EMPLOYÉ MAJORITAIREMENT PAR DES JAPONAIS.
CET HOMME M'A ENGAGÉ CAR IL CHERCHAIT UN INTERPRÈTE QUI SACHE PARLER JAPONAIS COURAMMENT.
NOUS NOUS ENTENDIONS PARTICULIÈREMENT BIEN...
...
NOUS NOUS ENGAGEÂMES DANS CE QUE L'ON POURRAIT APPELER UNE "AVENTURE ENTRE UN VICOMTE ÉTRANGER ET SON INTERPRÈTE", MAIS MALGRÉ TOUT...
ET TRÈS VITE, CE SONT DES SENTIMENTS ENCORE PLUS PROFONDS QUI NOUS POUSSÈRENT DANS LES BRAS L'UN DE L'AUTRE.

CE N'EST PAS BIEN, MAÎTRE, CE N'EST PAS BIEN...
VOTRE FEMME POURRAIT NOUS SURPRENDRE...
HA-NAKO ?
COMME SI ELLE POUVAIT S'INTÉRESSER À UN AUTRE EMPLOYÉ QUE YASUO...
ÉCARTE ENCORE UN PEU LES JAMBES, KONRAD.
JE VEUX TOUT VOIR...
SI JE T'AI FAIT VENIR AU JAPON, C'EST POUR POUVOIR T'Y AIMER.
AAH... MAÎTRE, SI VOUS ME PARLEZ COMME ÇA, JE...
PAS TOUT DE SUITE...
ATTENDS AU MOINS UNE PETITE HEURE...
JE M'APPELLE KONRAD NERNST ET JE L'AI RENCONTRÉ DANS MON PAYS NATAL, L'ALLEMAGNE.

MOI, KONRAD, J'AI RÉSISTÉ TOUT CE TEMPS POUR VOIR CE JOUR ARRIVER ...
ET GRÂCE À CELA, NOUS ALLONS PROBABLEMENT ATTEINDRE LE SEPTIÈME CIEL.
Romantic in the name of Beauty
Modoru Motoni

JE VOUS EN PRIE, MAÎTRE, BUVEZ CECI ET REPOSEZ-VOUS.
APRÈS ÇA, JE FERAI ...
KONRAD, TU NE VOUDRAIS PAS TE MASTURBER DEVANT MOI ?
JE VEUX VOIR TON CÔTÉ PERVERS.
JE VEUX TE SENTIR FRISSONNER, VOIR TON VISAGE SE DÉFORMER... JE VEUX VOIR TON SEXE.
EST-CE QUE VOUS CHERCHEZ À METTRE MON ENDURANCE À L'ÉPREUVE, MONSIEUR ?
OUI... TON ENDURANCE ET LA MIENNE ...
LE JOUR EST VENU DE LES RÉCOMPENSER ENFIN ...

Romantic in the name of Beauty

Modoru Motoni

Résumé

Dans cette magnifique demeure japonaise, on peut rencontrer un étrange majordome allemand, **Konrad Nernst**. Ce jeune homme, beau comme un dieu, a suivi le vicomte japonais qu'il a rencontré en Allemagne et dont il est tombé amoureux. Mais bien que platonique, leur amour n'en est pas moins sacrilège dans cette haute société japonaise pour qui les apparences comptent plus que tout. Entre Eros et Thanatos, **Konrad** est prêt à tous les sacrifices pour garder son amour pur et vivre enfin sa passion.

Mot sur l'auteur

Modoru Motoni est une mangaka née à Tokyo un 7 avril. Après un diplôme de littérature japonaise, elle décide de se consacrer à sa passion, le manga, et fait ses débuts en tant que dessinatrice en 1988. Elle parvient à transcrire avec justesse, par le biais des expressions faciales, les sentiments de ses personnages. Dans ses histoires, elle privilégie la psychologie et crée ainsi des situations et des scénarios originaux, complexes et réalistes, où les amours ne sont jamais simples.

Présentation de fanzines par

Le cavalier - tome 2 : Elric

Plus long que le précédent, ce deuxième tome contient 56 pages A5 de bande dessinée en noir et blanc.
Il s'agit de la suite des aventures d'Aica, jeune elfe orphelin. Après la mort de son oncle, il devient un filou, voleur et meurtrier d'êtres humains. Seule l'amitié qu'il entretient avec Elric, qui le soigne régulièrement au retour de ses mauvais coups, le retient de céder entièrement au mal. Aica découvre un jour la fragilité de son ami, orphelin de mère et incapable de répondre aux attentes de son père ; il décide de l'emmener loin de ce dernier. Cette parenthèse de tendresse entre eux deux s'achève avec leur retour pour l'enterrement du père d'Elric. Aica réagira avec violence lorsqu'il se sentira trahi...
La qualité de la narration demeure constante, tout comme le dessin clair et sans fioritures. La psychologie des personnages est toujours aussi efficace. L'auteur parvient de nouveau à nous faire sentir proche de ce garçon écorché vif, blessant, hargneux mais si attachant. La scène d'amour, bien qu'explicite, est tendre et sensuelle sans sombrer dans la vulgarité.

http://community.livejournal.com/niddheg

Auto-Reverse !

John Doe est le nom de l'équipe bretonne enthousiaste de ce fanzine yaoi, qui regroupe sous sa couverture couleur 104 pages en noir et blanc de fanfictions, tant écrites que dessinées.
Light Yagami et L, de *Death Note*, sont les protagonistes de la première histoire; la seconde imagine l'étreinte de Rémus et Sirius, les Maraudeurs de chez *Harry Potter*. Fye s'amuse à taquiner Kurogane (*Tsubasa Reservoir Chronicle*), enfin Hikaru et Akira «jouent» ensemble à autre chose que du go... Au milieu, une nouvelle met en scène Sanzo et Gojyo de *Saiyuki*. Le tout est entrecoupé de saynètes drolatiques sur les déboires de l'équipe John Doe pendant la réalisation du fanzine.
Les dessins sont soignés et proches des inspirations originales. Bien que réservées aux plus de 17 ans, les scènes de sexe sont pudiques et sensibles. Et les auteurs soignent les chutes de leurs histoires : la dernière page de chaque récit fait apparaître celui-ci sous un jour différent...

http://www.autoreverse.kokoom.com/

L'association MéluZine

La Tombe des guerriers Tome 2 : Rédemption

Ce fanzine A5 en noir et blanc contient 60 pages de bande dessinée, dont à la fin une petite galerie, des annotations sur les personnages principaux et un strip humoristique.

La première partie nous narrait le violent retour au pays de Yoru, fils prodigue. Ce second tome s'attache aux pas de Haku, personnage brièvement vu en train de s'esquiver à la fin du premier volume. Afin d'échapper aux tueurs de son ancien clan il met le grappin sur deux pèlerins, Lukai, un elfe, et sa demi-soeur Melilu en proposant d'être leur guide. D'abord agacé par cet intrus maladroit, et malgré les ennuis qu'il leur attire, Lukai tombe sous le charme de Haku durant ce dangereux voyage...

Les auteurs approfondissent ici leur univers désolé et sans espoir, entre temple en ruines et ville aux rues infestées de cadavres ambulants... Heureusement, l'amour et la tendresse sont présents grâce à la scène dans la cabine du bateau. Mention aux fautes de grammaire de Lukai, plus habitué à parler l'elfique que le langage commun: elles offrent ses rares touches d'humour à un récit toujours aussi sombre.

http://niddheg.com/

Meigetsu

Meigetsu est un fanzine A5 collaboratif de 72 pages en noir et blanc, à couverture couleur. Il regroupe à la fois des histoires originales et des fanfictions, en bande dessinée comme en récit écrit, quelques strips et un article littéraire.

Ce fanzine yaoi se met sous le signe de la pleine lune («meigetsu» en japonais)... Des vampires sont les héros de la BD "Comme un livre ouvert" et de la nouvelle "Suicide-moi", tandis que "Réveille-toi" et "Haunting" se déroulent respectivement dans l'univers de l'anime *FF Advent Children* et du jeu vidéo *Haunting ground*. L'article porte sur Poppy Z. Brite, il présente une rapide biographie de cet auteur d'épouvante gothique, ainsi que sa bibliographie et un résumé de ses principaux ouvrages.

La mise en page, ornementée, use beaucoup de cadres. Les bandes dessinées explicites mettent en scène des personnages longilignes et très efféminés. Le dessin tout en nuances de gris comporte de nombreux traits ce qui lui donne un aspect chargé, voire confus. L'ensemble se destine clairement à un public averti et fan de gothique.

http://www.freewebs.com/meigetsufanzine/

Tsuta Suzuki
My Demon and me
© TSUTA SUZUKI / LIBRE PUBLISHING CO., LTD.

ALORS IL FAUT QUE TU ME LAISSES ALLER JUSQU'AU BOUT.
MAIS DÈS QUE J'AURAI JOUI, TOUT REDEVIENDRA NORMAL.
SO...
SORS DE ...
HÉ HÉ !
JE T'AI DIT QUE JE NE POUVAIS PAS.
AH... C'EST BON ...
FOP
FINALEMENT, ÇA NE MARCHERA JAMAIS ENTRE NOUS ...
AAAH !
TU PRENDS TON PIED ?
EN FAIT, JE TE DÉTESTE, SETSU !
À suivre...

JE ...
NE VAIS PAS LE FAIRE COMME UN HUMAIN, CETTE FOIS.
HEIN ?
EN FAIT ...
JE SUIS COMME LES CHIENS, JE NE PEUX PAS ME RETIRER.
FLOTCH
C'EST QUE ...
ÇA GROSSIT À L'INTÉRIEUR.
FOP
HEIN ?
QUOI ?!
ATTENDS !
OP

RIEN
...
QU'UNE
FOIS
...
FOP
AAAH
...
PAR
CONTRE
...
GNN
!
FOP
JE SUIS
VRAIMENT
DÉSOLÉ
...

LÂ... LÂCHE-MOI LES MAINS ...
JE T'EN PRIE ...
J'AI ENVIE DE TE LA METTRE ...
CETTE ODEUR ...
HA ...
CETTE DOUCE ODEUR ...
TOI AUSSI, TU VEUX PRENDRE DU PLAISIR, N'EST-CE PAS ?
ALORS, JE VEUX TE LAISSER UN BON SOUVENIR DE MOI ...
C'EST PEUT-ÊTRE LA DERNIÈRE FOIS, ALORS IL FAUT FAIRE ÇA BIEN.
HAA ...
ME FAIT PERDRE LE CONTRÔLE DE MOI-MÊME ...
AAAH ...

AH !
AH ...
FLITCH
SLICK
!
GWIP
SWIP
HA !
ALLEZ ...
ÇA NE TE FERA PAS MAL, LAISSE-MOI TE PÉNÉTRER, S'IL TE PLAÎT.
HA !

MAIS ...
TU AIMES ÇA, ON DIRAIT ?
SLOP
AH ...
AH ...
HAA
NOOON !
HAA
JE NE SUIS PAS PRÊT !
NON !
PFF ...
MMH
GWIP
AH !
AAAH ...
AH !

TU ES BRÛLANT !
TU EN AS AUTANT ENVIE QUE MOI, HEIN ?
SLICK
QUE L'ON COPULE COMME DES ANIMAUX.
FLITCH
GNNN
GNN
ÇA NE T'A PAS TANT DÉPLU QUE ÇA QUE JE REPRENNE MA FORME ANIMALE, N'EST-CE PAS ?
AAH ...
SWIP
FWOP
SLICK
AAA !
OH !

CES JOURS-CI, ÇA N'ALLAIT PAS DU TOUT ...
MAIS SON ÉTAT A L'AIR DE S'ÊTRE AMÉLIORÉ.
SMACK
MMH ...
CETTE FOIS ENCORE ...
S'IL ACCEPTE DE FAIRE TOUTES CES CHOSES AVILISSANTES, ÇA NE PEUT PAS ÊTRE UNIQUEMENT À CAUSE DE LA MALÉDICTION ...
SLIP
HAA
?!
HA !
DÉSOLÉ, MAIS...
JE LES AVALERAI APRÈS, D'ACCORD ?
SLICK
MMH MMH !

MMH…
GNN…
MMH…
SWIF
GNN !
SWIF
GWIP
IL A VRAIMENT UN PETIT CUL BIEN FERME…
POUIC
POUIC
POUIC
IL NE RÉSISTE QUASIMENT PAS…
HAA
HAA
EST-CE QU'IL EST EXCITÉ ?
!!
MMH…
MMH…

CE N'EST PAS SI DOULOUREUX QUE ÇA !
PENSE À MOI QUI SUIS OBLIGÉ DE MANGER CES TRUCS INFECTS !
GNN ...
JE VEUX M'ALLONGER ...
NON ! ARRÊTE DE FUIR !
TU ES ...
ET PUIS POURQUOI EST-CE QUE TU RESTES TOUT NU ?!
ET POURQUOI TU ME LÈCHES ?!
AAH ! ÇA SUFFIT, TAIS-TOI !
HUMPF !

ALORS IL SERAIT TEMPS QUE TU M'ACCEPTES TEL QUE JE SUIS.
Franchement, est-ce que c'est si désagréable que ça ?
JE NE SAIS PAS POURQUOI ...
MAIS SES PAROLES ...
...
D'ACCORD.
M'ONT UN PEU APAISÉ ...
HEIN ?!
...
OH ...
AÏE !

C'EST TOUT SAUF SIMPLE, POUR MOI.
SWOP
SI TU VENAIS À MOURIR, C'EST MOI QUI EN SERAIS LE PLUS EMBÊTÉ.
...
ET SI TU ES ENCORE VIVANT ...
C'EST PARCE QUE JE T'AI SAUVÉ LA VIE.

ILS ME DISAIENT QUE COMME J'ÉTAIS TON PREMIER HOMME ...
TU N'AVAIS ENCORE JAMAIS FAIT CE GENRE DE...
GWAP
?!!
SPLAF !!
QU'EST-CE QUE C'EST QUE ÇA ?! CE COUP DE VENT SENTAIT L'ALCOOL !!
FWISH
OH OH !
OH
OH
OH
GRRR !
ENFIN BREF, CECI MIS À PART ...
TU ES DE MEILLEURE HUMEUR ?
GRR
ÇA N'A RIEN À VOIR AVEC LE FAIT D'ÊTRE DE BONNE HUMEUR OU NON !
TU PRENDS VRAIMENT TOUT À LA LÉGÈRE !
TU CROIS ÇA ?

TU PARLES TOUT SEUL ?
C'est...
QUOI ? JE BOIS JUSTE UN COUP AVEC CEUX DU JARDIN ...
JE ME DISAIS QUE ÇA LES PURIFIERAIT PEUT-ÊTRE UN PEU ...
AH !
"Ceux du jardin" ?
MU
AAH ! LA BOUTEILLE EST ENCORE À MOITIÉ PLEINE !
MERDE ! JE NE TIENS VRAIMENT PAS BIEN L'ALCOOL !
PLOC
...
QU'EST-CE QU'IL Y A ?
DIS-MOI ...
CELA FAIT LONGTEMPS QUE TU AS PASSÉ LA CÉRÉMONIE DU GENPUKU*, N'EST-CE PAS ?
LE GENPUKU ?
SI C'EST MON ÂGE QUE TU VEUX SAVOIR, J'AI 23 ANS.
Ça correspond à l'âge du collège ...

*CÉRÉMONIE ANCIENNE EXISTANT DEPUIS LE VIIIe SIÈCLE AU JAPON ET CÉLÉBRANT LE PASSAGE À L'ÂGE ADULTE. CETTE CÉRÉMONIE EXISTE TOUJOURS MAIS SOUS LE NOM DE "SEIJIN SHIKI" ET LES DIFFÉRENTS RITUELS ONT CHANGÉ, NDT.

JE VAIS ESSAYER DE ME CALMER UN PEU ...
IL N'AVAIT PEUT-ÊTRE PAS TOUT À FAIT TORT ...
TAP TAP
S'IL ÉTAIT AUSSI ÉNERVÉ ...
C'EST PEUT-ÊTRE QU'IL PARLAIT SEULEMENT DE DÉVORER LES DÉMONS QUI SONT EN MOI.
OUI, VOILÀ !
SWIP SWIP
?
DES VOIX ?
EST-CE QUE LA TÉLÉ EST ALLUMÉE ?
BLA BLA BLA ...
SETSU ?
AH !
SALUT.

J'AI L'IMPRESSION QUE QUELQUE CHOSE S'EST BRISÉ.
BOUH ...
OUUH ...
OUUH ...
LORSQU'IL EST APPARU, J'ÉTAIS SEUL ET SUR LE POINT DE MOURIR ...
MAIS À PRÉSENT, JE NE SAIS PLUS DU TOUT OÙ J'EN SUIS ...
...
MMH
J'AI VRAIMENT PLEURÉ COMME UNE FILLETTE ...

AH, J'EN AI ASSEZ !
SWOP
JE TE LAISSE UN RÉPIT, PROFITES-EN AVANT QUE JE NE REVIENNE.
TAP
TAP
TANT PIS POUR TOI, SI TU SOUFFRES UN PEU.
VOOSH
AH ...
SNIF

SNIF
!
GNN GNN GNN
POURQUOI EST-CE QUE TU ME TRAITES COMME ÇA ?
MAIS ARRÊTE DE PLEURER !
TU NE PLEURAIS PAS COMME ÇA, HIER !
SNIF SNIF
JE NE PLEURE PAS !
SNIF SNIF
MENTEUR !

AH !
GNN
MMH
!
...
NE SOIS PAS SI EFFRAYÉ.
SHH
J'ÉTAIS FATIGUÉ DE CETTE FORME HUMAINE !
ALORS ARRÊTE DE TE PLAINDRE OU JE TE DÉVORE TOUT ENTIER...

MAIS …
QUE …
GRRR
SWAP
AH !

TU ...
TU ...
TU ...
MMH
C'est ton pied-que j'ai senti ?
AH ! NE T'APPROCHE PAS !
TU ES TOUT NU, IMBÉCILE !
?!
SWIFF
QU'EST-CE...
SETSU ?!
SWASH

QU'EST-CE QUE TU AS ? TU TE LAISSES FAIRE, MAINTENANT ?
TU NE DIS PLUS RIEN ?
CROUNCH
?
HA...
AH ...
ÇA M'A... FAIT QUELQUE CHOSE ...
GNN
COMMENT ÇA "QUELQUE CHOSE" ?!
GNN
!
J'EN SAIS RIEN, MOI !!
SWOP
WAAH !

ALORS NE ME REJETTE PAS COMME ÇA...
LAISSE-MOI M'OCCUPER DE TOI.
!
GNN
MMH
OH ...
ENCORE ...
CETTE ODEUR ...
NON ...
SLICK
MMH ...
SLICK
SLICK
SA LANGUE ... EST VRAIMENT GRANDE !
SHH
AH ...
SLURK
MMH...

EST-CE QUE TU SAIS CE QUE JE FERAIS SI JAMAIS CELA ARRIVAIT ?
HUMAIN, ANIMAL, OU JE NE SAIS QUOI... QUI PEUT SAVOIR AVEC QUOI IL FAUDRA QUE JE BATIFOLE APRÈS ÇA ?
MÊME MOI, JE NE SAIS PAS CE DONT JE SUIS CAPABLE ...
TU SAIS, C'EST UNE DETTE QUE J'AI ENVERS CERTAINS DE TES ANCÊTRES. D'AILLEURS TU ME RAPPELLES BEAUCOUP L'UN D'ENTRE EUX.
?

ET PUIS JE SERAIS TRÈS EMBÊTÉ SI TU MOURAIS ALORS QUE J'AI POUR DEVOIR DE TE GUÉRIR.
JE NE VEUX PAS PERDRE MON PASSE-TEMPS FAVORI.
SON "PASSE-TEMPS" ?
ET C'EST CE TYPE QUI EST CENSÉ PROTÉGER NOTRE FAMILLE ?
SI JE PERDAIS MON PETIT PASSE-TEMPS ...
JE SOMBRERAIS PROBABLEMENT DANS UN ENNUI MORTEL ...

SLOP
SWIPO
SWIPO
REGARDE ÇA.
J'AVAIS DÉVORÉ LES RACINES DE TON MAL DANS LA POITRINE MAIS ELLES ONT REPRIS DE LA VIGUEUR …
HOP LÀ !
GNN !
SSHRRR
NE SOIS PAS IDIOT !
PENSE UN PEU À TA SANTÉ !
LA MAISON EST DEVENUE BIEN MORNE DEPUIS QUE TU ES COMME ÇA.
LE JARDIN, LES ARBRES… TOUT S'EST ASSOMBRI.
PARCE QUE LES DIVINITÉS DES ALENTOURS N'OSENT PLUS S'APPROCHER …
POURQUOI EST-CE QU'IL ME PARLE DE ÇA, TOUT D'UN COUP ?
OÙ VEUT-IL EN VENIR ?

...
T'ES VRAIMENT CHIANT !
!
SWAF
ばっ
SWIF
SWIF SWIF
!
AH !
EH BIEN !
ILS SE SONT ENCORE MULTIPLIÉS.

HÉ !
TU M'ENTENDS ?
ALLEZ, LAISSE-TOI FAIRE !
TU NE PEUX PLUS BOUGER ?
PFF
...
TU NE VEUX PAS QUE JE TE SOULAGE UN PEU ? POURQUOI EST-CE QUE TU T'OBSTINES, COMME ÇA ?
J'AI FAIT QUELQUE CHOSE DE MAL ?
!
HEIN ? QUOI ? TU VEUX ME FRAPPER ?
TU NE SAIS MÊME PAS POURQUOI, ABRUTI !

POURQUOI EST-CE QUE JE NE LUI AI JAMAIS VRAIMENT RÉSISTÉ ?
POURQUOI EST-CE QUE JE NE LUI AI JAMAIS DIT QUE JE DÉTESTAIS ÇA ?
GNN ...
C'EST À CAUSE DE SON ODEUR À LA FOIS DOUCE ET BESTIALE ...
QU'EST-CE QUE TU AS, ENCORE ?
ET TOUT CE QUE J'AI FAIT, C'EST PRENDRE L'HABITUDE DE ME CRAMPONNER À SON DOS.

JE SAIS QUE C'EST PROBABLEMENT GRÂCE À LUI QUE JE SUIS EN VIE AUJOURD'HUI.
! ...
GNN
MAIS JE NE PARVIENS PAS À LUI EN ÊTRE RECONNAISSANT ...
A... AÏE ...
SWOP
"ET SI J'EN PROFITAIS POUR M'AMUSER AVEC TOI...!!"
ET QU'A-T-IL FAIT ALORS ?!

Pendant que tu râlais, j'ai eu le temps de me déshabiller...
Aaah... Ça fait du bien, ma queue était à l'étroit.
CE TYPE N'EST PAS HUMAIN...
IL SE BALADE AVEC DES OREILLES BIZARRES, IL A MÊME UNE QUEUE.
On se croirait dans un manga.
JE NE LUI FAIS ABSOLUMENT PAS CONFIANCE.
JE N'Y COMPRENDS PAS GRAND-CHOSE, MAIS CETTE ESPÈCE DE DIVINITÉ PROTECTRICE...
"JE FERAI TOUT CE QUI EST EN MON POUVOIR..."
EST APPARUE DEVANT MOI LORSQUE J'ÉTAIS MALADE ET VOUÉE À UNE MORT CERTAINE.

PLAF
BON, TRÈS BIEN, MAIS IL NE FAUDRA PAS VENIR PLEURER APRÈS ...
J'AI L'AIR DE PLEURER ?!
SWIP
...
HAA
HAA
IL S'APPELLE SETSU, C'EST MOI QUI AI CHOISI SON NOM.
AH ...
JE NE DEVRAIS PAS ME METTRE DANS CET ÉTAT ...
JE CROIS QUE JE VAIS TOURNER DE L'ŒIL ...
POF

DIS DONC, TOI !
TU SAIS TRÈS BIEN QUE JE NE SUIS PAS UN CHIEN ! ÇA FAIT LONGTEMPS QUE JE TE LE RÉPÈTE !
NOUS NOUS DISPUTONS À CHAQUE FOIS QUE VIENT L'HEURE DE ME GUÉRIR.
VOOSH
NOOOON, NE RENTRE PAS !
DE TOUTE FAÇON, CE N'EST PAS LE PROBLÈME !
JE ME SENS TRÈS BIEN AUJOURD'HUI, ALORS LAISSE-MOI TRANQUILLE !
TU M'AS DÉJÀ DIT ÇA HIER ...
DÉGAGE !
C'EST BON... C'EST BON ...
EN TOUT CAS, DE NOUS DEUX, C'EST TOI QUI ABOIES LE PLUS FORT ...
C'EST PLUTÔT SURPRE-NANT, D'AILLEURS.

Tsuta Suzuki

My Demon and me

Tsuta Suzuki
My Demon and me
JE T'INTERDIS DE RENTRER DANS MA CHAMBRE SANS MA PERMISSION.
JE N'AI AUCUNE ENVIE DE COUCHER AVEC UN ANIMAL !
L'ENTRÉE EST INTERDITE AUX CHIENS ! T'AS COMPRIS ?!
VLAM !!
...
AUX CHIENS ? MAIS DE QUI IL PARLE ?!

MAGAZINE
BE×BOY
Tsuta Suzuki
My Demon and me

Résumé

Aki, dernier héritier d'une lignée maudite et atteint d'un mal incurable, fait appel à Setsu, le démon qui prend soin de sa famille depuis des générations, pour conjurer la maladie. Alors qu'il aurait dû retourner d'où il vient une fois son maître guéri, Setsu ne disparaît pas. Aki s'est rendu compte de ses sentiments et a fait le souhait de garder le démon auprès de lui. Alors qu'il pensait en avoir fini avec sa maladie, le jeune homme continue à s'affaiblir jour après jour malgré le traitement de Setsu. Y aurait-il un lien avec le fait qu'Aki doute de plus en plus de ses sentiments pour le démon ?

Mot sur l'auteur

Née un 3 décembre, Tsuta Suzuki aime mêler yaoi et surnaturel. Quoique les intrigues frisent parfois le tragique, elles retrouvent toujours, finalement, le chemin de la comédie.

Rie Honjoh
Welcome to the Chemistry Lab!
© RIE HONJOH / LIBRE PUBLISHING CO., LTD.

DE TOUTE FAÇON …
AUJOURD'HUI, J'ÉTAIS VENU AVEC LA FERME DÉCISION …
DE M'ENGAGER SÉRIEU-SEMENT AVEC TOI …
JE SUIS HEUREUX …
MÊME SI VOUS DITES CELA PARCE QUE VOUS VENEZ ENFIN DE RENONCER COMPLÈTEMENT À LUI …
DOCTEUR.
À suivre…

POUR QUI SE PREND-IL ?
SWIF
IL NE SE DÉCHAUSSE MÊME PAS EN ENTRANT CHEZ LES GENS ...
IL EST ...
COMME ÇA ...
PARDONNEZ-MOI...
MAIS VOUS N'AURIEZ JAMAIS PU ÊTRE HEUREUX ...
EN AIMANT UN TYPE COMME CE SHIBAURA ...
CE N'EST PAS GRAVE ...
C'EST MOI QUI AI ACCEPTÉ DE COUCHER AVEC TOI ...
TOUT EN RESTANT INDÉCIS ET EN TE LAISSANT DANS LE FLOU ...

TAP
SHIBA ...
TU ES VULGAIRE ...
VLAM

FLOTCH
LÀ ...
AH !
SHIBAURA ...
NE ME REGARDE PAS ...
NE DITES PAS CELA, MON BEAU DOCTEUR EST ENCORE AMOUREUX DE VOUS ...
AH ...
QU'EN PENSEZ-VOUS ?
PFF ...
VOUS AVIEZ DIT QUE JE VOUS AVAIS BLESSÉ EN VOUS HEURTANT L'AUTRE JOUR ET VOUS M'AVEZ FAIT VENIR POUR QUE JE VOUS PRÉSENTE MES EXCUSES ...
MAIS ÇA NE M'INTÉRESSE PAS DU TOUT DE REGARDER D'AUTRES PERSONNES FAIRE L'AMOUR.
QUE C'EST AFFLIGEANT.
...

ENTREZ, MONSIEUR SHIBAURA.
?
VOTRE AMI EST VRAIMENT ADORABLE, VOUS NE TROUVEZ PAS ?
AH ?
DOCTEUR, ÇA VOUS EXCITE ENCORE PLUS D'ÊTRE REGARDÉ PAR QUELQU'UN ?
VOUS VOUS ÊTES RESSERRÉ AUTOUR DE MON SEXE, TOUT D'UN COUP !

DING DOOOONG
AH
ENTREZ !
C'EST OUVERT.
MITSUHI ?! QU'EST-CE QUE TU...
LAISSE-MOI PARTIR, SI CETTE PERSONNE NOUS VOIT ...
KWIII
TAP
TAP
TAP

FLOTCH
AH ...
C'EST BON ?
EN VOUS METTANT SUR MOI DE TOUT VOTRE POIDS ... JE DEVRAIS POUVOIR RENTRER JUSQU'AU FOND...
GNN ...
GNN ...
SWIF
!
FLOTCH
A... AH !

ÇA VOUS FAIT DU BIEN ?
OH !
SLICK
SWOP
HA ...
SWOP
TU ES DOUÉ, MITSUHI ...
MOI AUSSI, JE...
ÇA ME FAIT PLAISIR, MAIS ...
C'EST UN PEU RAPIDE, MAIS ...
JE CROIS QUE JE NE VAIS PAS POUVOIR ME RETENIR DAVANTAGE.
JE VAIS VOUS PRENDRE TOUT DE SUITE ...
AH ...
SPLITCH

SWIF
VOUS TREMBLEZ ...
COMME TOUJOURS QUAND JE VOUS DÉSHABILLE ...
C'EST VRAIMENT ADORABLE.
MMH ...
AH... AH...
ET VOUS ÊTES DÉJÀ TRÈS DUR ...
!
MOI AUSSI, À VRAI DIRE ...
SLOTCH
AH !

...
SWIF
DOCTEUR ...
MERCI D'ÊTRE VENU.
MITSUHI ...

S'IL PARVENAIT À FAIRE DÉFINITIVE-MENT UNE CROIX SUR CE TYPE ...
IL ACCEPTERAIT PEUT-ÊTRE DE SORTIR AVEC MOI ...
AAH ...
ÇA FAIT DU BIEN D'ÊTRE CHEZ SOI ...
MAIN-TENANT QUE TU ES SORTI DE LA CLINIQUE, TU AURAIS MIEUX FAIT D'ALLER TE REPOSER CHEZ TES PARENTS ...
ÇA VA ALLER.
MON RÉTABLIS-SEMENT SERA BIEN PLUS RAPIDE SI JE PEUX VOUS SERRER DANS MES BRAS.
!!

BON, CONTINUE À TRAVAILLER DUR EN RÉÉDUCATION, JEUNE HOMME !
KLAM
AH !
DOCTEUR, ATTENDEZ !
AAH, NE BOUGEZ PAS COMME ÇA, MONSIEUR MITSUHI !
SHLING
SHLING
SHLAP
(BRUIT DU TENSIOMÈTRE)
VOOSH
PFIUUH !
AH, IL A OUBLIÉ SON TÉLÉ-PHONE ?
HEUREUSE-MENT QUE CE N'EST PAS CELUI QU'IL UTILISE POUR LES URGENCES ...
SHIBAURA ...
SON NUMÉRO EST PEUT-ÊTRE DANS LE RÉPERTOIRE ...

ATTENDEZ !
COMBIEN DE FOIS DEVRAI-JE VOUS DIRE QUE MES SENTIMENTS POUR VOUS SONT BIEN RÉELS !
JE TIENS VRAIMENT À AVOIR UNE RELATION SÉRIEUSE AVEC VOUS !
MAIS... NOTRE DIFFÉRENCE D'ÂGE EST TELLEMENT ...
CELA N'A RIEN À VOIR !
JE SAIS QUE VOUS NE ME DÉTESTEZ PAS !
C'EST JUSTE QUE VOUS NE PARVENEZ PAS À VOUS DÉCIDER ENTRE CE SHIBAURA ET MOI.
...
EST-CE QUE TU PENSES RÉELLEMENT QUE ...
TOC TOC
AH
MONSIEUR MITSUHI, JE VIENS PRENDRE VOTRE TEMPÉRATURE !
TIENS ? MAIS QUE FAITES-VOUS ICI, DOCTEUR KAJIWARA ?
RIEN DU TOUT !
MONSIEUR MITSUHI AVAIT OUBLIÉ QUELQUE CHOSE DANS MA SALLE DE CONSULTATIONS ...

MON RÊVE ÉTAIT DE DEVENIR MÉDECIN …
ET SELON LUI, JE N'AURAIS JAMAIS PU ATTEINDRE LE NIVEAU DE DÉVOUEMENT QU'IL RE-CHERCHAIT.
C'ÉTAIT CERTAINEMENT UN PRÉTEXTE POUR ME REJETER, MAIS …
JE LUI SUIS TOUT DE MÊME RECONNAIS-SANT D'ÊTRE RESTÉ MON AMI PENDANT TOUTES CES ANNÉES.
MÊME SI ON NE SE VOIT QU'UNE OU DEUX FOIS PAR AN …
VOUS L'AIMEZ TOUJOURS …
ET C'EST POUR ÇA QUE VOUS NE M'AVEZ TOUJOURS PAS RÉPONDU, N'EST-CE PAS ?
TU ES ARRIVÉ DANS CETTE CLINIQUE ET TU ES TOMBÉ AMOUREUX DE MOI, MAIS …
TU VERRAS QUE ÇA N'AURA PLUS AUTANT D'IMPORTANCE UNE FOIS DE RETOUR À L'UNIVERSITÉ.
!

INDÉ-PENDANT ?
OUI.
TU NE POURRAIS PAS CONSACRER TES PENSÉES EXCLUSIVE-MENT À MOI, N'EST-CE PAS ?
...
ET BIEN QUE NOUS FASSIONS TOUS LES DEUX DES ÉTUDES DE MÉDECINE, NOUS NE NOUS DESTINONS PAS À LA MÊME SPÉCIALITÉ.
CE QUE JE VEUX ...
C'EST QUELQU'UN QUI NE PENSE QU'À MOI TOUT LE TEMPS, ET QUI SERAIT PRÊT À TOUT SACRIFIER POUR ME SUIVRE ...
SA VIE, SON EXISTENCE TOUTE ENTIÈRE.
PEU IMPORTE QU'IL S'AGISSE D'UNE FEMME OU D'UN HOMME. SI CETTE PERSONNE POSSÈDE EN ELLE SUFFISAM-MENT DE PURETÉ POUR FONDER TOUT SON ÊTRE EN FONCTION DE MOI.
ENFIN ...
JE SAIS QUE CETTE PERSONNE N'EXISTE PROBABLE-MENT PAS ...
JE SUIS DÉSOLÉ, KAJIWARA.

EST-CE QUE JE SUIS... SI FACILE QUE ÇA À CERNER ?
OUI, PLUTÔT.
C'EST VRAI QUE JE L'AI AIMÉ, AUTREFOIS, MAIS ...
IL M'A REJETÉ À CE MOMENT-LÀ ...
CE N'EST PAS PARCE QUE TU ES UN HOMME QUE JE TE DIS NON.
MAIS PARCE QUE TU ES QUELQU'UN D'INDÉPEN-DANT.

SPLOTCH
!!
Docteur, est-ce que vous êtes amoureux de ce Shibaura ?
Quoi ?!
Pourquoi cette question, tout à coup ?!
Pour rien ...

Vous êtes vraiment très sexy ...
Que feriez-vous si les infirmières nous surprenaient ?
Si vous faites trop de bruit ...
On va nous entendre.
!
Oh ...
FOP
Ah ...
...
!
FOP

HA !
AH ...
AAH ...
SWIA
SWIA
DOCTEUR ...
FLOTCH
FLOTCH
EST-CE QUE C'EST AGRÉABLE ?
OUI ...

HAA
PARCE QU'IL N'ACCEPTERAIT PAS DE FAIRE TOUT ÇA, SINON.
SLICK
C'EST BON ... VOUS ÊTES VRAIMENT DOUÉ ...
DOCTEUR ... VOUS AVEZ VOTRE BLOUSE BLANCHE DANS VOTRE SAC ?
JE VOUDRAIS QUE VOUS LA PORTIEZ PENDANT QU'ON LE FAIT ...
OH ...
SWISH
AH ...
AH !

DANS CE CAS, VOUS POUVEZ PEUT-ÊTRE FAIRE UN PETIT DÉTOUR PAR MA CHAMBRE AVANT DE RENTRER.
N'EST-CE PAS ... DOCTEUR ?
ÇA FAIT LONGTEMPS ...

JE SUIS SÛR ...

QUE CE N'EST PAS UNIQUEMENT PAR RESPECT POUR SON PATIENT QU'IL NE ME JETTE PAS CATÉGORIQUEMENT.

CET HOMME ? TU VEUX DIRE SHIBAURA ?
SHIBAURA ...
VOUS LE CONNAISSEZ ?
C'EST UN VIEIL AMI, IL TRAVAILLE POUR UNE SOCIÉTÉ PHARMACEUTIQUE, MAINTENANT.
ALORS CE TYPE EST UN COMMERCIAL ?! IL N'EST PAS TRÈS SYMPATHIQUE, POURTANT !
C'EST UN CHERCHEUR.
IL CONNAÎT PAS MAL DE MÉDECINS ICI.
Pff, bon ...
PEU IMPORTE !
!!
GWIP
IL VIENT DE TEMPS EN TEMPS POUR LEUR RENDRE VISITE ...
SINON, VOUS AVEZ FINI VOTRE SERVICE, AUJOURD'HUI ?
GWIP
OUI, MAIS ...

J'AI COMPRIS …
SWIP
QU'EST-CE QUE C'EST QUE CE TYPE ?
IL N'A PAS L'AIR D'ÊTRE UN PATIENT DU SERVICE D'ORTHOPÉDIE …
PEUT-ÊTRE DU SERVICE DE MÉDECINE INTERNE …
TIENS ?
QU'EST-CE QUE TU FAIS ICI ?
DOCTEUR.
!!
QU'EST-CE QUI S'EST PASSÉ ? TU ES TOMBÉ ?!
TA CHEVILLE, ÇA VA ?!
ÇA VA… C'EST CET HOMME QUI M'A BOUSCULÉ …
MA CHEVILLE N'A RIEN, ELLE N'A PAS TOUCHÉ LE SOL.

DÉSOLÉ.
C'EST TOUT ?!
VOUS RENVERSEZ UNE PERSONNE BLESSÉE ET C'EST TOUT CE QUE VOUS TROUVEZ À DIRE ?!
NE RESTEZ PAS LÀ À NE RIEN FAIRE AVEC VOS AIRS PRÉTENTIEUX !
DONNEZ-MOI AU MOINS LA MAIN POUR QUE JE PUISSE ME RELEVER !
?
MMH...

!!
BLAM
CLAC
TAP
HÉ ...
AOUCH !
FAITES ATTENTION !!
SLAP

GNNN
GNNN
IL A TOUJOURS ÉLUDÉ MES QUESTIONS, JUSQU'À PRÉSENT....
TREEEIZE !
QUATORZE ...
ET... QUINZE !
SHLAP
PFIUUH ...
C'EST SÛREMENT ...
PARCE QUE JE SUIS UN DE SES PATIENTS ...
MAIS COMME IL NE VEUT PAS ME DIRE CLAIREMENT NON...

CLAC
ガチャ
CLAC
ガチャ

Tenez ça.
KWIP
IMMOBILISATION DE LA CHEVILLE FRACTURÉE.
ET DANS LA SALLE D'OPÉRATION, QUAND JE SOUFFRAIS LE MARTYRE...
Ça fait maaaal !! Arrêteeeez, laissez-moi mourir ! Aaaaah...
ÇA VA ALLER.
ÇA VA S'ARRANGER, VOUS VERREZ, ALORS SOYEZ COURAGEUX.
TENEZ BON.
Bon, ça prendra quelques mois pour se remettre, mais...
LE VISAGE DU DOCTEUR KAJIWARA M'EST APPARU...
Vous avez vomi ?
C'est parce que vous avez fumé juste après l'opération !!
Si vous faites une sieste, vous ne pourrez plus dormir, cette nuit !
Réveillez-vous !
IL ÉTAIT COMME UNE FLEUR ÉPANOUIE PARMI TOUTES CES INFIRMIÈRES BRUTALES.
Vous ne devriez plus avoir besoin d'une chaise roulante !
CE N'EST PAS PARCE QUE C'EST UN HOMME, OU POUR UNE AUTRE RAISON QUE JE SUIS TOMBÉ AMOUREUX DE LUI.
PAS À UN SEUL MOMENT, JE N'AI EU HONTE DE MES SENTIMENTS, JE LUI AI MÊME DÉCLARÉ MA FLAMME !
MAIS...
ILS ONT DÛ UTILISER 7 VIS POUR REDRESSER LES OS.

ET QUI DIT "ÉTÉ", DIT "PLAGE".
FSSHH
Attrape !
Hé hé, j'y vais !
J'AI PARTICIPÉ À UN MATCH DE VOLLEY AVEC PLEIN DE MECS ! ☆
MAIS MON PIED S'EST ENFONCÉ DANS LE SABLE ...
ET JE ME SUIS BRISÉ LA CHEVILLE !!
CRAAC
SOUS LES REGARDS DE MES AMIS ET DE TOUS LES BAIGNEURS DE LA PLAGE ...
PIN POOOON
PIN POOOON

C'EST QUE JE...
DOCTEUR KAJIWARA, LA RADIOGRAPHIE DE M. ISHIMARU EST PRÊTE.
AH, TRÈS BIEN !
DANS CE CAS, FAITES-LE VENIR ICI, JE VOUS PRIE.
HÉ, TU DOIS ALLER TOUT DE SUITE EN SALLE DE RÉÉDUCATION !!
OUAIS, OUAIS...
KLAM
CE N'EST PAS VRAIMENT SANS ESPOIR...
TAP
TAP
CELA FAIT DEUX MOIS...
QUE J'AI RENCONTRÉ L'HOMME DE MA VIE DANS CETTE PETITE CLINIQUE.
TAP
TAP
EN DEUXIÈME ANNÉE DE FAC, PENDANT L'ÉTÉ, J'AVAIS DÉCIDÉ...
POUR LA PREMIÈRE FOIS, D'ESSAYER DE PROFITER UN PEU DE LA VIE...

QUITTER LA CLINIQUE ... ?
HÉ HÉ
DANS CE CAS, DOCTEUR ...
JE POURRAI VOUS DEMANDER DE SORTIR AVEC MOI OFFICIELLEMENT.
!
ENCORE CETTE HISTOIRE ?!
BLAGUE À PART ...
VOUS NE M'AVEZ TOUJOURS PAS RÉPONDU ...
DEPUIS QUE JE VOUS AI DÉVOILÉ CE QUE JE RESSENTAIS POUR VOUS.
...

CENTRE CLINIQUE ORTHOPÉDIQUE MIZOUCH
DE CONSULTATIONS
BON ...
L'OS FRACTURÉ S'EST TRÈS BIEN RESSOUDÉ.
NORMALEMENT, NOUS POURRONS ENLEVER TON ATTELLE LA SEMAINE PROCHAINE.
SI TOUT SE PASSE BIEN, TU POURRAS QUITTER LA CLINIQUE DANS UN MOIS ...
ET TU POURRAS RETOURNER À L'UNIVERSITÉ AVANT L'HIVER, MITSUHI.

Welcome to the Chemistry Lab!
Rie Honjoh

Welcome to the Chemistry Lab!

Rie Honjoh

Résumé

À cause d'une fracture de la cheville, **Mitsuhi** se retrouve à l'hôpital. Il y fait la rencontre du docteur **Kajiwara**, dont il tombe immédiatement amoureux. Au fil des mois passés dans la clinique pour sa rééducation, **Mitsuhi** avoue ses sentiments au chirurgien et lui propose d'avoir une vraie histoire avec lui. Mais le cœur de **Kajiwara** semble déjà pris et le bel étudiant devra détruire cette passion pour conquérir enfin celui qu'il aime...

Mot sur l'auteur

Rie Honjoh est née un 19 mai.
Dans un style épuré, elle utilise souvent l'école comme théâtre de ses romances entre hommes. Les caractères de ses personnages sont très affirmés, et il n'est pas rare que la perversion prenne le dessus, mais pas toujours de la part de celui qu'on attend.

Ayano Yamane,

Pas spécialement facile à trouver, notre coin Boy's Love !

Homme chargé de réguler la foule. Notez la solitude dans ses yeux.

La foule.

une reine (et ses dévoués fans) à Japan Expo !

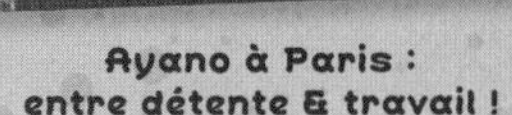

Ayano à Paris :
entre détente & travail !

Le fameux "J'ai une super idée..." venait une fois de plus de retentir dans le bureau...

Plein de mails en anglo-japonais plus tard, c'était sûr : à défaut d'avoir un stand entièrement consacré au Boy's Love (ben quoi, on pouvait rêver !), nous allions avoir une invitée très spéciale pour ce Japan Expo 2010 !

Rencontrer Ayano Yamane, c'est rencontrer une femme (avec un grand "F" !) passionnante. Outre son sourire chaleureux et naturel, elle répond avec honnêteté et légèreté à toutes les questions, et surtout elle a vraiment le sens du "fan service" ! Sous des tonnerres d'applaudissements et de cris dignes des meilleures onomatopées de manga ("KYAAAAA !" "SQUEEEEEE !"), chacune de ses séances de dédicaces était un moment de partage et de bonheur pour ses fans ! Photos, dessins, petits mots, elle s'est donnée sans compter !

De notre côté, modeste équipe éditoriale transformée en équipe de vente le temps de ces 4 jours, on a dû faire face à l'infinie tristesse des fans venus trop tard pour avoir leur petit ticket, mais surtout (heureusement !) à la joie communicative de ceux qui revenaient nous voir avec leur lithographie dûment signée !

Un grand merci à Ayano Yamane ainsi qu'à son éditrice pour leur bonne humeur, et pour avoir mis autant de cœur à l'ouvrage ! Ah... Et merci d'avoir partagé vos photos aussi !

On a dîné avec elle...

Maintenant qu'elle a visité les Châteaux de la Loire...

Demande-lui si Takaba va se faire enlever par un beau français sadique dans des douves !!

traductrice

(elle a répondu non)

INTERVIEW

Rencontre avec Ayano Yamane

À l'occasion de la Japan Expo 2010 et de la sortie du tome 2 de *Viewfinder*, nous avions convié son auteure, Ayano Yamane, en France. Toujours de bonne humeur, elle distribue sourires et mots gentils à ses fans. Plusieurs journalistes ont eu le plaisir de la rencontrer dans le cadre d'une interview. En voici pour vous un aperçu !

Quel parcours avez-vous suivi pour devenir mangaka ?

Je suis autodidacte, sous l'influence de plusieurs œuvres. J'aime surtout les shônen, comme *ST SEIYA* ou *SLAM DUNK*. En fait, spécialement ceux du magazine Jump (des éditions Shûeisha) !
Et puis, j'ai toujours adoré dessiner depuis la crèche. Comme nombre d'auteurs de yaoi, j'ai commencé dans le milieu amateur en signant des dôjinshi (fanzines, NDR). J'avais un travail alimentaire à côté, je faisais la mise en couleur dans une imprimerie. Et un jour, un éditeur a lu un des dôjinshi que j'avais dessinés et m'a proposé de me publier en tant que professionnelle.

Qu'est-ce qui vous plaît à vous dans le fait de dessiner du Boy's Love ?

Au départ, la popularité du Boy's Love était un mystère pour moi aussi. Mais quand j'ai découvert et commencé à lire des Boy's Love, cela ne m'a pas déplu. C'était bizarre mais plutôt plaisant. En fait, je pense que c'est la même chose pour toutes les femmes. Parce qu'elles aiment ce côté purement romancé et romantique. Il n'y a pas de femmes et donc elles ne peuvent pas se projeter sur un personnage. Elles se retrouvent plongées dans un univers typiquement masculin auquel elles ne peuvent accéder et participer. Et quelque part, il y a de l'admiration pour ce monde inaccessible.
Je fantasme sur l'amour entre hommes et j'ai eu envie de partager ce fantasme. L'attrait du Boy's Love réside dans l'imagination, ce qui se passe dans la tête des femmes, les choses qu'elles s'imaginent à propos des hommes et de ce qu'il se passe entre eux. Cela n'a rien avoir avec les mangas pour gays. Dans le Boy's Love, tout est imaginé. Peut-être que ce que j'écris ne correspond pas à la réalité, mais ce n'est pas le but.
Et puis, c'est un plaisir de dessiner des relations entre hommes. Je reçois souvent des messages de lectrices qui me disent "le Boy's Love m'a sauvée". Comme en France, au Japon il y a beaucoup de femmes qui travaillent assidûment ou qui font des études difficiles. Elles en ressentent énormément de stress. Il paraît qu'elles parviennent à l'évacuer en lisant des mangas Boy's Love dans lesquels elles trouvent des héros beaux comme des dieux. Elles peuvent alors oublier la douleur de leur vie dans un rêve. J'ai failli pleurer lorsqu'on m'a expliqué que mes mangas contribuent à aider des gens. J'étais tellement honorée.

auteure de la série Viewfinder

Quel est d'après vous l'homme idéal ?

Beau, riche, gentleman et gentil. Voilà ! (rire)

Quelles sont vos sources d'inspiration pour le dessin de vos personnages masculins ?

Pour le uke, Akihito dans *Viewfinder*, je m'inspire de personnages typiquement shônen. Pour le seme, Asami dans *Viewfinder*, c'est complètement mon idéal masculin. (rire)

Expliquez-nous dans quel contexte Viewfinder a été lancé.

Au départ, j'ai reçu une commande pour une anthologie consacrée au sadomasochisme. J'ai alors inventé une histoire entre un yakusa et un photographe, assez hard. *Viewfinder* est ensuite devenu un titre régulier ! Le côté SM tenait au personnage d'Asami, à son côté dominateur. Du coup, il devenait intéressant de jouer sur son comportement et, de temps à autre, de le montrer très gentil. Ce contraste fait d'ailleurs craquer les lectrices.

Le thème de la pègre utilisé dans ce manga est difficile à aborder : comment vous êtes-vous documentée ?

Malgré les termes employés, les yakusas japonais ne sont pas comme décris dans *Viewfinder*. Je me suis plus inspirée des mafias chinoises. Contrairement aux films de yakusas où les réalisateurs s'informent directement auprès des femmes de mafieux, je ne suis pas allée sur le terrain. Je me suis plus documentée grâce à des films, des livres ou encore par les médias, couplés avec beaucoup d'imagination. C'est moins dangereux ! (rire)

Justement, votre photographe, Akihito, entretient une relation étrange avec le yakusa Asami. Ce dernier a beau l'avoir violé, il semble quand même l'apprécier. Pourquoi une telle relation ?

Je pense que la relation entre deux hommes est forcément différente des relations hétérosexuelles et je n'étais donc pas intéressée par une relation mielleuse. De toute façon, je voulais respecter la virilité des hommes. Pour Akihito, Asami est fort physiquement et il possède une intelligence supérieure, bien qu'il évolue dans le sombre milieu de la mafia. Il éprouve un mélange d'admiration et de jalousie, quelque chose de complexe, vis-à-vis d'Asami qu'Akihito perçoit comme un être supérieur. J'essaie de décrire l'amour qui est né de ce sentiment.

Viewfinder fait partie des titres yaoi devenus cultes. Comment l'expliquez-vous ?

Je pense tout d'abord aux personnages en créant mon histoire et à la façon dont ils vont se retrouver mis en scène dans des scènes explicites. J'adore Akihito, le uke (le passif) et quand je le dessine, je ne peux m'empêcher d'être plus soigneuse pour ce personnage-là. Même si je sais qu'en réalité, c'est Asami qui a le plus de succès parmi les fans ! (rires) En effet, tout tourne avant tout autour d'Asami. Une enquête au Japon a révélé que 90% des lectrices aimaient Asami, 8% Akihito et 2% pour

INTERVIEW SUITE

Feilong qui, contrairement au Japon, connaît plus de succès à l'étranger.
De plus, j'ai eu la chance de pouvoir développer ma série et le caractère de mes personnages, de travailler cet aspect plus "soft" de l'histoire. Mais quand je pense à approfondir leurs rapports humains ou le scénario, je n'arrive pas à créer de scènes érotiques. C'est un vrai dilemme parce que, moi, je veux dessiner plus de scènes érotiques.

En ce qui concerne vos œuvres, quelles sont vos limites au niveau de la censure ?

Actuellement au Japon, le système de censure n'existe pas. Donc il n'y a pas de limite, ni de changement ou de modification de contenu à cause de la censure. Néanmoins, comme la plupart des mangas Boy's Love, y compris *Viewfinder*, sont tout public, il arrive que l'éditeur, ou l'auteur lui-même, pose des limites et modifie la description sexuelle.
Pour *Viewfinder*, il est vrai que la série démarre de manière très forte, mais je différencie tout de même l'érotisme et la violence dans la série. De plus, ces séquences sont celles qui me prennent le plus de temps de travail, et j'essaie aussi de ne pas oublier l'histoire. Sans elle, mes mangas plairaient beaucoup moins...
Je pose mes propres limites, notamment sur certaines scènes, afin que ça n'aille pas trop loin, que ce ne soit pas trop cru. Je préfère respecter le côté artistique. Mes éditeurs et mes lecteurs me demandent de dessiner plus de scènes érotiques (rire).

Aimeriez-vous travailler sur d'autres histoires, et pourquoi pas autre chose que du Boy's Love, comme le shôjo par exemple ?

En fait, je suis fan de shônen et je ne lis pas beaucoup de shôjo. Donc, je ne pourrais pas, même si je le voulais.
J'ai toujours envie de dessiner de nouvelles histoires ! J'ai des idées qui vont, qui viennent... J'aimerais aussi écrire d'autres histoires fantasy, sans rien d'érotique.

CRIMSON SPELL est tiré de l'univers Fantasy, chose très rare dans le Boy's Love. Comment avez-vous eu cette idée ?

Effectivement, le genre Fantasy dans le Boy's Love n'est pas très apprécié. J'étais un peu hésitante au départ, mais le responsable éditorial voulait me laisser libre. Je pouvais écrire ce que j'aimais et ce que je maîtrisais vraiment. Je suis justement très douée pour dessiner des dragons, d'autres monstres imaginaires ou des costumes très décorés. Et j'adore ça ! On m'a dit : "Fais-toi plaisir !", ce que j'ai fait.

Cela fait un moment qu'il n'y a pas eu de nouveaux chapitres de Viewfinder de publiés. Êtes-vous en train de travailler sur la suite ?

Je suis en train de dessiner la suite de *Viewfinder, Escape and Love*, dans le BE BOY GOLD qui sera publié en volume relié au printemps 2011.

Combien de temps vous faut-il pour terminer un chapitre ?

Trois semaines... (son éditrice réagit : "Bien plus !", lance-t-elle, ce qui fait rire Yamane, NDR) pour faire 20 planches. Mais comme le souligne mon éditrice, je suis souvent en retard !

Quel sentiment vous a laissé votre rencontre avec le public français et la découverte de leur engouement pour vos œuvres ?

Au Japon, je ne me rends pas bien compte que mes œuvres plaisent également à l'étranger. À Japan Expo, j'ai pu voir de mes propres yeux qu'elles sont appréciées et acceptées par les lecteurs. J'ai pu ressentir l'accueil chaleureux des fans. C'était vraiment extraordinaire.

Un dernier mot pour vos fans français ?

Je vais essayer de créer une belle histoire d'amour. Soyez patient, je travaille pour vous. Merci beaucoup.

Pour en découvrir plus sur Ayano Yamane, retrouvez l'intégralité des interviews sur les sites et dans les magazines suivants :
ANIMELAND - COYOTE - JLS -JOURNAL DU JAPON - MANGANEWS - TOTAL MANGA

NOUS SOMMES DÉSOLÉS, MONSIEUR ASAMI, NOUS SOMMES ARRIVÉS TROP TARD.
...
FEILONG ...
TU VAS VOIR CE QUI ARRIVE QUAND ON ME MET EN COLÈRE !!
À suivre...

BOSS, CHÔ NE NOUS GÊNERA PLUS…
ALORS …
OÙ EST ASAMI ?
IL A TUÉ CINQ DE NOS HOMMES !
NOUS N'AVONS PLUS RIEN À FAIRE ICI, IL VAUDRAIT MIEUX RAPPELER LES AUTRES …
IL EST HORS DE QUESTION QUE JE RENTRE SANS AVOIR VU SON VISAGE DÉPITÉ …

!!
C'EST MOI.
CHÔ EST DANS L'ASCENSEUR, JE PENSE QU'IL DESCEND.
L'UN D'EUX EST AU 9e ÉTAGE.
C'EST SANS DOUTE DÉJÀ TROP TARD, MAIS PROTÉGEZ LES LIEUX AU CAS OÙ IL SERAIT ENCORE EN VIE.

PAAW
PAAW
HII !!
ILS SONT EN BAS !
L'ESCALIER DE SECOURS EST TROP DANGEREUX, RETOURNONS À L'INTÉRIEUR !
ATTEN-DEZ !
C'EST TROP RISQUÉ !
RESTEZ OÙ VOUS ÊTES !
JE M'EN DÉ-BARRASSE, SINON NOUS SERONS BLOQUÉS !

!!
IL N'Y A PERSONNE !
ILS NOUS ONT BEL ET BIEN RETROUVÉS.
PARTONS D'ICI PENDANT QUE MES HOMMES LES RETIENNENT.
NE VOUS ÉLOIGNEZ PAS DE MOI.
SORTIE DE SECOURS
MERCI BEAUCOUP, SURTOUT QU'ILS N'ONT AUCUNE PITIÉ !
JE PENSAIS QU'EN ÉTANT SOUS VOTRE PROTECTION, ILS RENONCERAIENT À S'EN PRENDRE À MOI, MAIS VISIBLEMENT...

ASAMI A REÇU UN MESSAGE, CETTE NUIT.
IL DEVAIT SE RENDRE À L'HÔTEL TÔ'Ô, CHAMBRE 3073 ...
ASAMI VA ÊTRE EN DANGER À CAUSE DE MOI ...
ASAMI ...

UN SEUL, TU RIGOLES ?! TOUS LES DEUX, OUI !
TU VEUX SAVOIR OÙ EST ASAMI, N'EST-CE PAS ?
SINON TU NE FERAIS PAS TOUT CELA !
TU ES MOINS BÊTE QUE JE NE LE PENSAIS ...
TRÈS BIEN.
JE LES METS TOUS LES DEUX DANS UN TAXI.
CELA TE CONVIENT ?
QUE FAIRE ? SI JAMAIS JE PARLE, ILS VONT S'EN PRENDRE À LUI ...
MAIS JE N'AI PAS LE CHOIX ...
...

KÔ, TAKATO !!
Désolés !
TOUT VA BIEN ?
SI JE TE RETIENS PRISONNIER, ASAMI VA BIEN RÉAPPARAÎTRE À UN MOMENT OU UN AUTRE !
ET EN CE QUI CONCERNE TES DEUX AMIS, JE N'EN AI PLUS BESOIN.
A... ATTENDS !
MÊME SI JE SAVAIS QUELQUE CHOSE, JE NE DIRAIS RIEN SANS L'ASSURANCE QUE TU NE LEUR FERAS AUCUN MAL !
HA HA, ALORS TU AS FINALEMENT UNE PETITE IDÉE QUI TE REVIENT ?
DANS CE CAS, J'EN LIBÈRE DÉJÀ UN.

NE ME DIS PAS QU'IL S'EST CONTENTÉ DE TE CULBUTER EN GÉMISSANT ?
QU'EST-CE QUE TU AS FAIT DE MES POTES ?!
SI JAMAIS TU LEUR FAIS DU MAL, TU VAS ME LE PAYER !!
BLAM
AÏE !
ÇA FAIT MAL ...
AKIHITO !
PARDON, AKIHITO !
ON N'A PAS RÉUSSI À S'ENFUIR !

COMME JE N'AVAIS PLUS DE NOUVELLES, JE CRAIGNAIS QUE TU AIES PRIS PEUR.
ALORS, TU N'AS PAS PU RÉCUPÉRER CE QUE JE VOULAIS ? BAH, CE N'EST DÉJÀ PAS SI MAL QUE TU AIES RÉUSSI À LE FAIRE SORTIR.
KÔ ET TAKATO …
ILS SONT …
TU SAIS QUE TU AS UN TEMPS LIMITÉ, MAIS JE VAIS TE DONNER UNE SECONDE CHANCE DE ME RÉPÉTER CE QU'IL T'A DIT.
SI TU SAIS QUELQUE CHOSE, TU FERAIS MIEUX DE PARLER.
APRÈS TOUT LE BON TEMPS QUE VOUS AVEZ PRIS ENSEMBLE, IL A BIEN DÛ SE CONFIER À TOI, NON ?
QUE …

VLAM
OÙ EST ASAMI ?
RÉ-PONDS !
JE N'EN SAIS RIEN ! VOUS ÊTES MALADES ?!
AÏE !!
BOSS, IL ÉTAIT DANS LA CHAMBRE …
PARLE-LUI !
GNii
…
GHH
JE NE SAIS PAS OÙ IL EST, ÇA FAIT LONGTEMPS QU'IL EST PARTI !
Vous vouliez que je lui coure après, peut-être ?!
QUANT AUX INFORMATIONS, IL N'A PAS L'AIR DE VOULOIR ME LES DONNER !

GNS
!
TU ES LOURD À LA FIN, POUSSE-TOI !!
J'AI REGARDÉ DISCRÈTEMENT LE MESSAGE QUAND IL SE DOUCHAIT.
ON AURAIT DIT QU'IL L'ATTENDAIT.
ASAMI DOIT SE TROUVER À L'ENDROIT INDIQUÉ PAR LE MESSAGE. JE DOIS M'Y RENDRE ...
HA !
DING DONG
TOC TOC
QUI... QUI EST-CE ?
UN ÉMISSAIRE DE MAÎTRE FEILONG, OUVRE !
FEILONG ...
GLOUP
CLIC

HAA ...
TU ...
TU VAS ARRÊTER, À LA FIN ?!
PING PONG
... !
VEUILLEZ M'EXCUSER, MAIS CE MESSAGE EST ARRIVÉ POUR M. ASAMI.
PA

IL EST DÉJÀ 4 H DU MATIN …
Et je suis toujours ici…
AH, LE TÉLÉPHONE !
CLAP
APPELS ENTRANTS
10/8 03 : 45 KÔ
10/8 03 : 17 KÔ
10/8 02 : 28 KÔ
10/8 01 : 34 KÔ
LE NUMÉRO DE KÔ, IL M'A APPELÉ PLUSIEURS FOIS…
…
GRR GRR
PERSONNE NE RÉPOND !!
BON, CALMONS-NOUS…
…
TOUT À L'HEURE …

FEILONG DOIT PENSER QU'IL PEUT SE SERVIR DE LUI.
JE N'AURAIS PAS DÛ LE LAISSER SEUL ...
ESPÈCE D'ENFOIRÉ !!
IL S'EST BIEN FOUTU DE MOI !!
Des somnifères !
OÙ EST-CE QU'IL EST PASSÉ !?
BOM
BOM
BOM
HAA
HAA
...

NOUS AVONS EU UN DIFFÉREND, À HONG KONG.
JE LEUR AI FAIT RATER UNE DE LEURS PLUS GROSSES AFFAIRES.
C'EST POUR CELA QUE JE VOUS AI DEMANDÉ DE M'ENVOYER EN EUROPE.
JE N'AI PAS ENVIE D'ÊTRE TUÉ. JE NE COMPRENDS PAS, EN REVANCHE, COMMENT IL A SU QUE J'ÉTAIS ICI.
...
ALORS C'EST VOUS QU'IL CHERCHE ...
NE VOUS INQUIÉTEZ PAS.
TOUTES LES PREUVES DE VOTRE PASSAGE ICI ONT ÉTÉ EFFACÉES.
ALORS FEILONG SE SERT DE TAKABA POUR RETROUVER CET HOMME GRÂCE À MOI ?
SI C'EST LE CAS JE N'AURAIS PAS DÛ VENIR ICI, J'AI CRU QUE TAKABA EXAGÉRAIT ...

JE SUIS NAVRÉ, NOUS AVONS EU UN CONTRETEMPS.
C'EST PLUTÔT RARE… IL Y A UN PROBLÈME ?
C'EST UNE AFFAIRE PERSONNELLE.
…
CHÔ, ÇA FAIT BIEN UNE SEMAINE QUE VOUS AVEZ QUITTÉ HONG KONG POUR VENIR AU JAPON ?
C'EST CELA.
IL SEMBLERAIT QUE FEILONG SOIT ICI AUSSI.
!!
IL M'AURAIT DÉJÀ RETROUVÉ ?

PUISQUE QU'ILS NE ME SERVENT PLUS À RIEN, JE N'AI PAS LE CHOIX ...
NON, TANT MIEUX !
VUE L'HEURE QU'IL EST, JE PENSAIS QUE VOUS NE VIENDRIEZ PLUS !
3 H 15

BOSS !
ASAMI TENTE DE NOUS ÉCHAPPER.
APPAREMMENT, IL A REMARQUÉ LES VOITURES QUI LE SUIVAIENT.
LE GAMIN NE RÉPOND PAS.
MOI QUI PENSAIS POUVOIR M'EN SERVIR UN PEU PLUS LONGTEMPS…
SURTOUT QUE JE COMMENCE À EN AVOIR MARRE D'ÊTRE GENTIL AVEC SES AMIS.
…

MONSIEUR ASAMI, NOUS SOMMES SUIVIS.
JE SAIS...
ピッ
C'EST MOI.
FAITES DÉGAGER LES DEUX VOITURES DERRIÈRE NOUS.
D'AUTRES NOUS COLLENT ENCORE !
NE LES LAISSE PAS FAIRE, CONTINUE DE ROULER JUSQU'À CE QU'ON LES SÈME.

0 H 06
QUE PEUT BIEN MANIGANCER FEILONG ?
IL N'ESPÈRE TOUT DE MÊME PAS RÉELLEMENT RÉCUPÉRER LES INFORMATIONS AVEC UN CHANTAGE AUSSI MINABLE ?
ÇA NE PEUT PAS ÊTRE SI SIMPLE QUE ÇA …

Ayano Yamane
VIEWFINDER
you're my love prize of one wing
NAKED TRUTH

HUM ...
ASA... MI ?
...
WHAAAAH
?!
04:08
QUELLE HEURE EST-IL ?
DÉJÀ 4 H PASSÉES ?!
MAIS QU'EST-CE QUI M'EST ARRIVÉ ?!

VLAM
HUM ...

MÊME SI TU DONNAIS TOUT CE QUE TU AS, TU NE POURRAIS RIEN FAIRE.
DÉSOLÉ, MAIS LAISSE TOMBER.
ピッ Pip ピッ Pip
C'EST MOI, AMÈNE LA VOITURE.
LE PLAN EST AVANCÉ.

IL NE VEUT PAS PERDRE LA FACE.
POUR L'AUTRE FOIS... IL L'A VRAIMENT PRIS MAL, HEIN ?
JE NE SAIS PAS QUEL PROBLÈME IL Y A ENTRE VOUS ...
MAIS VOUS ALLEZ BIEN DEVOIR LE RÉGLER, ALORS ...
IL PARAÎT... QU'ILS SONT AU ROKUMEISHURÔ ...
JUSQU'À... 4 H DU MATIN ...
JE DOIS...

ぎっ GNII
QU'EST-CE QUE TU VIENS FAIRE ICI ?
TU N'AS QUAND MÊME PAS RÉSERVÉ CETTE CHAMBRE EXPRÈS POUR MOI ?
JE SUIS LÀ POUR AFFAIRES. JE N'AI PAS AUTANT DE TEMPS LIBRE QUE TOI, MOI.
FINALEMENT, TU ES COMME TOUS LES HOMMES D'AFFAIRES QUI S'ENNUIENT SEULS DANS LEUR CHAMBRE D'HÔTEL !
PFU !
Orange
MOI, AUJOURD'HUI J'AI DÛ ALLER CHEZ TROIS ENTREPRISES DIFFÉRENTES POUR LE BOULOT ...
JE COMPTAIS RENTRER APRÈS MANGER ...
...
COMMENT FAIRE POUR L'EMBOBINER ...
QU'EST-CE QU'IL LUI PREND... À CE FEILONG ? PLUS DE DEUX MOIS SE SONT ÉCOULÉS, MAINTENANT ...

ガラガラ…
VLAAM
…
TIENS.
HOO …
J'AURAIS QUAND MÊME PRÉFÉRÉ DU COCA.
…

JE L'AI CHERCHÉ, AUSSI ...
FSHAAA
C'EST LAMENTABLE ...
FSHAA

QU'EST-CE QUE JE FABRIQUE ?
GRRR
JE CROYAIS OBTENIR CE QUE JE VOULAIS EN ME SERVANT DE MON CORPS ?!
...
BRR...
JE N'AURAIS PAS DÛ ESPÉRER AVOIR DE L'AIDE D'ASAMI. IL M'A JUSTE RÉCONFORTÉ COMME IL LE FERAIT POUR UN GAMIN... AVEC SON CORPS.

ガラガラ
VLAAAM
ピシャ!!!
CLAC
...

BLAAM
...
MERDE !
JE NE TIENS PLUS DEBOUT ...
IL FAUT QUE J'AILLE AUX TOILETTES, MOI !!
ET MERDE !!
...
...
ET NE ME SUIS PAS !
JE VAIS AUX TOILETTES !!

SHAAA...
GHH
HAA...
WOUAH!

...
...
UN MANNEQUIN, C'EST ÇA ? IL A PARLÉ DE FAIRE DES PRISES ...
TU N'AS PAS L'IMPRESSION QUE LES GENS DU BAR ONT CHANGÉ DEPUIS QUE CET HOMME EST ARRIVÉ ?
ILS SONT SUR LES NERFS ...
CES HOMMES EN NOIRS, CE SONT SES GARDES DU CORPS ?
C'EST PLUTÔT RARE... TU ES SÛR QU'AKIHITO LE CONNAÎT ?
APPAREMMENT, CE N'EST PAS N'IMPORTE QUI.
TU CROIS QU'IL DIRIGE LE MONDE DE LA MODE DANS L'OMBRE ?
...
MAIS QU'EST-CE QU'IL FABRIQUE ?
...

...
HAA ...
GNI, GNI,
A... ARRÊTE ...
HUM...
JE VOIS, C'EST DONC AINSI QUE ÇA SE PASSE ?
NOUS AVONS LA SALLE JUSQU'À 4 H.
ON COMPTE SUR TOI, TAKABA.
MERCI.
ピ
PIP
AKIHITO A DIT QU'IL VIENDRAIT ?
BIEN ENTENDU, SURTOUT QUE JE DÉTIENS UNE CHOSE À LAQUELLE IL TIENT BEAUCOUP.

...
MAIS... ARRÊTE !
FLOTCH
HAA !!
ASAMI ! ESPÈCE DE...
AKIHITO ? TOUT VA BIEN ?
SHII
AH !

PÎP
AH, AKIHITO ? C'EST MOI !
HA... KÔ ?!
GLOUP
TU ÉTAIS EN TRAIN DE DORMIR ?
ON T'ATTENDAIT, ON CROYAIT QUE TU ALLAIS VENIR !
J'ARRIVE, JE VOUS ASSURE !
VA-T'EN !
C'EST JUSTE QUE... JE N'AI PAS ENCORE FINI ...
TON TRAVAIL ?
EUH... C'EST ÇA.
ON EST DANS UN BAR DE YOKOHAMA, LE ROKUMEISHURÔ.
IL EST RÉSERVÉ JUSQU'À 4 H DU MATIN !
JE VOULAIS D'AILLEURS TE DEMANDER...
LES AUTRES TYPES QUI SONT LÀ ...

TI LI LI LIT
GLOUP
プルルルル…
TI LI LI LIT
プルルルル…
TI LI LI LIT
…
CE BRUIT…
C'EST QUOI ?
AH…
Mon portable ?
TI LI LI LIT

ぐた
HUM ...
POURQUOI EST-CE QUE JE SUIS VENU, DÉJÀ ?
POF
...
AH ...
JE N'ARRIVE PAS À ME RAPPELER ...
HAA ...

C'EST COMME TU AS ENVIE.
GWIP
HAA
HAA
Ne bouge ... pas ...
HAA ...
...
BRRR
PLOTCH
HUM ...
!!
BRRR
BRRR
SPLATCH
HAA ...

HAA ...
FLOTCH
HAAA !
HA ...
GNII GNII
HAAA ...
HAA ...
HAA
HAA
SI... SI TU BOUGES ...
NON ...
SI JAMAIS TU BOUGES ...
HAA

Ayano Yamane
VIEWFINDER
you're my love prize of one wing
NAKED TRUTH

BE×BOY MAGAZINE

Ayano Yamane

VIEWFINDER

you're my love prize of one wing

Résumé

Feilong, furieux du tour que
lui a joué **Akihito** en récupérant les
informations secrètes, jure de prendre sa
revanche et pose de nouveau le pied sur le sol
japonais. Il menace alors le jeune homme,
se servant de lui pour atteindre **Asami**.
Akihito est une fois de plus impliqué dans
les histoires des deux mafieux. Le jeune
homme, inquiet pour la vie de ses amis
séquestrés par **Feilong**, va demander de
l'aide au yakusa. Et pour le convaincre,
tous les moyens sont bons...

Mot sur l'auteur

Née un 18 Décembre, **Ayano Yamane**
est l'une des auteurs incontournables
du yaoi. Son graphisme réaliste et
ses intrigues complexes font de ses
séries des œuvres particulièrement
originales.

APRÈS LA PIÈCE ...
CE SERA LE GRAND FINAL !!
À suivre...

JE PEUX TE DIRE QUE JE T'AIME, MOI AUSSI ?
DE TOUS MES RÔLES...
C'EST LA PLUS BELLE SCÈNE...
QUE J'AIE INTERPRÉTÉE !
PROFESSEUR !
PAR ICI !
QUEL MONDE !
C'EST PARCE QUE C'EST LA PREMIÈRE.
IL A QUAND MÊME EU DES BILLETS !
IL N'A PAS PEUR DE JOUER DEVANT TANT DE MONDE ?
JE NE PENSE PAS.
IL VIENT DE JOUER UN RÔLE ENCORE PLUS DUR.
WHAA
KIKUNI ?
IL NE RESTE QUE 20 MINUTES !
WHAA

"PARDONNE-MOI."
"JE T'AIME."
JE T'AIME, MIYOSHI.
CE N'EST PAS DIGNE D'UN ACTEUR, ÇA !!
QUELLE HONTE !
MAIS ...
ALORS ...
JE PEUX ARRÊTER DE FAIRE SEMBLANT ?

POUR QU'IL COMPRENNE ?
JE DÉTESTE … ME LAISSER ALLER DEVANT LES AUTRES.
DEPUIS … QUE JE T'AI VU PLEURER, JE NE PENSE QU'À VENIR TE PARLER …
JE NE SAIS PAS IMPROVI-SER.
JE FINIS TOUJOURS PAR M'EM-BROUILLER LA TÊTE …
C'EST POUR ÇA QUE JE NE ME SUIS PAS DÉCLARÉ À MISAO.
MAIS JE N'AI QUE DES PHRASES STÉRÉOTYPÉES QUI ME VIENNENT …

KIKUNI ...
QU'EST-CE QUE ... TU FAIS ICI ?!
PARDON ...
MAIS JE VOULAIS VRAIMENT TE VOIR JOUER.
JE N'AVAIS PLUS DE BILLET, ALORS J'AI DEMANDÉ À MISAO DE ME PISTONNER POUR UN PETIT JOB.
C'EST POUR ÇA.
EXCUSE-MOI ...
バサ
ZAAH
COMMENT FAIRE ...

COM-
MENT
...
COMMENT
LUI DIRE
?
KIKUNI
?
QU'EST-
CE QUE
CE JEUNE
HOMME
A...
JE RE-
VIENS
TOUT DE
SUITE
!!
GRIP
TAP
TAP
TAP
TAP
SHAA
VLAAM

WHAA
WHAA
WHA
WHA
PLUS QUE 40 MINUTES ! ET LE MAQUILLAGE ?
GROUILLEZ-VOUS !
QU'EST-CE QU'IL A ?!
IL N'A PAS TROP LE MORAL... MAIS ÇA VA ALLER !
METTEZ LES NOUVELLES FLEURS ICI.
BIEN.
CLANG
MAIS... QU'EST-CE QU'IL Y A, KIKUNI ?

CE VISAGE TREMPÉ DE LARMES ...
J'IGNORE COMMENT LUI DEMANDER PARDON ...
MIYOSHI ...
QUOI LUI DIRE ? COMMENT FAIRE ?
COMMENT ...
APPARITION
RÔLE PRINCIPAL : KANEHIRA KIKUNI
ACTEURS : TSUNEYOSHI INAGAWA /
RÉALISATION : ASAHI GROUP
TOKYO ASAHI HALL

C'EST POUR LUI ... QUE TU LES AVAIS RÉCUPÉRÉS, HEIN ?
JE NE SAIS PLUS QUOI FAIRE ...
MIYOSHI ? IL N'EST TOUJOURS PAS REVENU.
DÉJÀ TROIS JOURS QU'IL SÈCHE ! POURQUOI ? VA SAVOIR ...
JE N'AI FAIT QUE JOUER DES RÔLES DEPUIS TOUT PETIT ...
ALORS JE NE SAIS PAS COMMENT RÉAGIR DANS LA RÉALITÉ.
STOP ! ON REPREND ICI !
QU'EST-CE QUE TU AS, KIKUNI ? IL NE RESTE QUE TROIS JOURS !
JE NE SAIS PAS ...

MIYOSHI !
LE PAUVRE ...
HA !
MISAO ...
QU'EST-CE QUE TU VAS FAIRE DE CES BILLETS ?
MOI, JE N'EN VEUX PLUS.

JE SUIS ... UN ACTEUR RATÉ !
BOBOM
FROT
JE N'ARRIVE MÊME PAS À RETENIR MES LARMES !
MIYOSHI ...
PARDON, KIKUNI !
BOM
LI
PARDON DE TE CAUSER TOUS CES PROBLÈMES !

D'ACCORD.
LES VOILÀ.
JE SAIS ...
QUE TU ES DINGUE ...
DE MISAO.
REVIENS ME VOIR QUAND TU VEUX ...
AH ...

RENDS-MOI LES BILLETS QUE JE T'AI DONNÉS HIER.
J'AI OUBLIÉ QUE MISAO LES VOULAIT.
IL LES AVAIT RÉSERVÉS AVANT, TU COMPRENDS ?
JE T'EN DONNERAI UNE AUTRE FOIS.
MAIS ... POUR-QUOI ?
JE DOIS PRENDRE L'AIR LE PLUS FROID POSSIBLE.
FÂCHE-TOI ET DÉTESTE-MOI ...
FÂCHE-TOI, MIYOSHI ...
BON ...

J'AI L'HABITUDE DES RÔLES DE POURRIS.
MIYOSHI … EST ICI ?
2DE
KIKUNI ?
C'EST RARE DE TE VOIR VENIR DANS LA CLASSE DES SECONDE !
TU AS UNE MINUTE ?
HEIN ?
QUOI ? QU'EST-CE QUE TU…

ON DEVRAIT ARRÊTER.
CE N'ÉTAIT PAS SÉRIEUX, DE TOUTE FAÇON.
ET PUIS, JE N'AI PAS ENCORE ...
KIKUNI ?
MISAO ...
TU ES EN RETARD !
LES RÉPÉTITIONS SONT BIENTÔT FINIES ?
OUI, JE N'AI AUCUN RÉPIT !
C'EST UNE GRANDE PIÈCE ...
AU FAIT, TU AS PU AVOIR DES BILLETS ?
HA !
ZUT, JE LES AI DONNÉS À MIYOSHI ...
JE PEUX SÛREMENT EN AVOIR D'AUTRES, MAIS ...
OUI, PAS DE PRO-BLÈME.
JUSTE UNE SECONDE.
KIKUNI ?
C'EST L'OCCASION !

HAA...
KI...
KIKUNI ...
EST-CE QUE...
MIYOSHI SERAIT ...
VOILÀ, COMME ÇA...
HAA !
FLOTCH
HOUU ...
AMOUREUX DE MOI ?!
HAA...
SI C'EST LE CAS ...
ÇA VA DEVENIR LOURD ...

NON, ATTENDS…
N'ÉCARTE PAS.
PRENDS LES CHOSES EN MAIN.
JE TE LAISSE FAIRE.
HUM…
HA…
HOUU…
VOILÀ, C'EST TRÈS BIEN.
J'HAL-LUCINE…

C'EST POUR ÇA QUE J'AI VOULU DEVENIR ACTEUR COMME TOI !
QUOI ?
AH ...
RIEN, TU VEUX QU'ON RECOMMENCE ?
MAIS ...
HUM ...
NE ME DIS PAS QUE...
SHH
HA ...
HA !
HA !
GLOUP
TU ME FAIS ENCORE PLUS CRAQUER QUE D'HABITUDE !

JE T'AI DÉJÀ VU PLEIN DE FOIS ... TRAVAILLER.
TU LIS TOUJOURS TES SCRIPTS ...
DANS DES ENDROITS OÙ IL N'Y A PERSONNE.
JE SAIS QUE TU AIMES AVOIR DE L'ALLURE ...
ET QU'ON NE TE VOIT PAS QUAND TU ES EN PLEINE PRÉPARATION.
C'EST GLAUQUE !
HA HA HA ! BINGO ?
ET ALORS ?! LES FILLES NE SORTENT PAS SANS MAQUILLAGE NON PLUS !
TU SAIS ...
JE T'AI TROUVÉ TRÈS CLASSE, À CE MOMENT.
HÉ !

APPARITION
RÔLE PRINCIPAL : KANEHIRA KIKU
ACTEURS : TSUNEYOSHI INAGAWA /
RÉALISATION : ASAHI GROUP
TOKYO ASAHI HALL
HEIN ?
C'EST ... POUR MOI ?
SI ÇA TE DIT !
TOUS LES BILLETS ÉTAIENT DÉJÀ VEN-DUS, NON ?
TU ES SÛR ?
MAIS OUI !
COMME ÇA, TU ME VERRAS EN PLEIN EFFORT.
... C'EST DÉJÀ FAIT.

IL EST ENCORE LÀ ?
KIKUNI EST VENU TE REMONTER LE MORAL ?
IL T'A PLUTÔT ENFONCÉ, NON ?
PAS DU TOUT !
TU PARLES, LUI, C'EST UNE STAR DEPUIS SON ENFANCE !
COMMENT IL POURRAIT COMPRENDRE CE QUE TU VIS !
TU SAIS...
ON N'IMAGINE PAS NON PLUS CE QU'IL DOIT ENDURER.
PERSONNE NE DEVIENT UNE STAR...
SANS JAMAIS SE DONNER DU MAL.
Même pas lui !
C'est vrai...

J'AI FOIRÉ MON AUDITION !
AH ZUT ! À CAUSE DE MOI ?
MAIS NON !
JE NE SUIS PAS ENCORE À LA HAUTEUR.
JE FAIS DE MON MIEUX EN COURS ...
MAIS CE N'EST PAS FACILE.
C'EST SÛR.
C'EST DUR POUR LES MANNEQUINS, AUSSI, DE DÉGAGER QUELQUE CHOSE QUAND ILS JOUENT.
NE DÉPRIME PAS POUR ÇA !
ぽんぽん
POF POF
HUM ...
LE VOILÀ. MIYOSHI !
ON DOIT ALLER EN PHYSIQUE !
AH ...
SERA, MIRAI ...
PARDON, J'ARRIVE.
MERCI, KIKUNI !
DE RIEN.
AH ...

MAIS ...
IL M'A CAUSÉ BEAUCOUP DE SOUCIS PENDANT LONGTEMPS.
GHHH
WOUAH !
QU'EST-CE QU'IL T'ARRIVE POUR QUE TU SOIS AUSSI ABATTU ?!
... KIKUNI !

ÇA SE VOIT QU'IL MONTE SUR LES PLANCHES DEPUIS TOUT PETIT !
IL A DE LA PRESTANCE !
IL SAIT BIEN JOUER, MAIS EN PLUS, IL A BEAUCOUP DE COURAGE !
ON DIRAIT QUE RIEN NE LUI FAIT PEUR.
OUI ... C'EST L'IMPRESSION QUE JE DONNE.
J'AI TOUJOURS AIMÉ AVOIR DE L'ALLURE.
AH, KIKUNI !
VOICI LES BILLETS QUE TU VOULAIS.
MERCI BEAUCOUP !
C'EST POUR TA COPINE ?
NON, UN AMI ...

MERCI ! ÇA M'AIDERA POUR MA FUTURE COMPOSITION.
IL N'AVAIT PAS COMPOSÉ DEPUIS UN MOMENT...
MAIS IL VA FINALEMENT SE CHARGER DE LA MUSIQUE DE MA PROCHAINE PIÈCE.
N'OUBLIE PAS DE ME REGARDER, HEIN !
BIEN SÛR !
À MON GRAND REGRET, JE LE DOIS AU PROF AVEC QUI IL SORT.
LES ESSAYAGES
OOOH ! CE STYLE TE VA VRAIMENT À RAVIR, KIKUNI !

SI, ÇA ME DÉGOÛTE !
WHA ! QUOI ?!
QU'EST-CE QUE TU FICHES AVEC CE PROF PÉDANT ?!
GWIP
QU'EST-CE QUE TU RACONTES ?
PAF
AÏE !
D'APRÈS TOI !
UN BEAU JOUR ...
JE ME SUIS RENDU COMPTE ...
QU'ILS ÉTAIENT TOUS EN COUPLE ...
ILS COURAIENT LES FILLES IL N'Y A PAS SI LONGTEMPS QUE ÇA, POURTANT !
Pas moi, alors pourquoi ?!
ALORS ?
OH, TU M'ÉCOUTES ?
PARDON, TU DISAIS ?
TU CROIS QUE TU POURRAIS AVOIR DES PLACES ...
POUR TA PROCHAINE PIÈCE ?
AH, ÇA ?
NORMALEMENT, OUI.

TU ES LÀ ?
J'AVAIS JUSTEMENT QUELQUE CHOSE À TE DEMANDER.
KIKUNI ?
TU NE TE SENS PAS BIEN ?
C'est vraiment mon genre de mec
SI, TOUT VA BIEN.
Juste une absence.
TU ES SÛR ?
OUI !
MISAO ...
OUI ?

TU AURAIS DÛ ME LE DIRE !
TU RISQUES DE TREMBLER DES JAMBES ET RATER TON CASTING !
TU SAIS QUE JE SUIS PLUS RÉSISTANT QUE ÇA !
GARDE LE MORAL. À PLUS TARD !
JE NE SUIS PAS DÉPRIMÉ …
AU POINT QU'ON SE FASSE DU SOUCI POUR MOI.
SALLE D'ÉTUDE
AH !
KIKUNI !

CERTAINS ÉLÈVES SUIVENT UN CURSUS ARTISTIQUE.
MOI JE SUIS ACTEUR, EN TERMINALE.
KEITA MIYOSHI EST EN SECONDE.
BAH, JE SAIS BIEN …
QUE TU ES DINGUE DE MISAO, ALORS BON.
SURTOUT QU'IL VIENT JUSTE DE TE JETER, ALORS JE PEUX BIEN T'ÉCOUTER.
PAS DU TOUT, JE NE LUI AI RIEN DIT.
C'EST PAREIL !
AH, TU NE DEVRAIS PAS FUMER !!
JE VAIS SENTIR AUSSI LA CIGARETTE !
En plus, je viens de me doucher !
J'AI UNE AUDITION AUJOURD'HUI.
DÉSOLÉ.
C'EST POUR LE FEUILLETON DONT TU M'AVAIS PARLÉ ?
OUI, J'ESPÈRE QUE CETTE FOIS ÇA VA MARCHER …
MIYOSHI EST MANNEQUIN, MAIS IL VOUDRAIT DEVENIR ACTEUR AUSSI.

TU CROIS QUE C'EST LE MOMENT ...
DE ME PARLER DE ÇA ?!
KIKUNI ...
HAA...
EXCUSE, MIYOSHI.
JE M'APPELLE KANEHIRA KIKUNI. DANS MON LYCÉE ...

CELUI QUE J'AIME ...
EST AMOUREUX D'UN AUTRE.
HAA...
EN PLUS ...
ILS ONT L'AIR BIEN ACCROS L'UN À L'AUTRE !
HAA...
HAA!
AU MOINS, AVANT ILS SE CACHAIENT UN PEU ...
MAIS À PRÉSENT, ILS SONT MÊME BEAUX À VOIR !
GHAA...
À TEL POINT QUE ...
C'EN EST PRESQUE INSUP-PORTABLE !
HAA...
DIS ...
DIS DONC !

Makoto Tateno
School of the Muse

Résumé

Kikuni est un célèbre comédien en terminale du cursus artistique qui, alors qu'il en aime un autre, entretien une liaison assez libre avec un élève de seconde, Miyoshi, mannequin prometteur. Mais ce dernier, bien que conscient des sentiments de son amant pour un autre garçon, n'en est pas moins éperdument amoureux. Le jeune mannequin fait tout pour ressembler à son idole, allant même jusqu'à vouloir devenir acteur pour se rapprocher de lui. Mais la scène sur laquelle joue Kikuni est loin d'être accessible à tous…

Mot sur l'auteur

Makoto Tateno est née le 23 mars à Toyama. C'est une mangaka extrêmement prolifique autant dans les genres Shôjo que Boy's Love, bien qu'elle soit surtout connue en France pour sa série yaoi *Yellow*. Elle aime la diversité et excelle autant dans la comédie que dans des histoires plus tragiques.

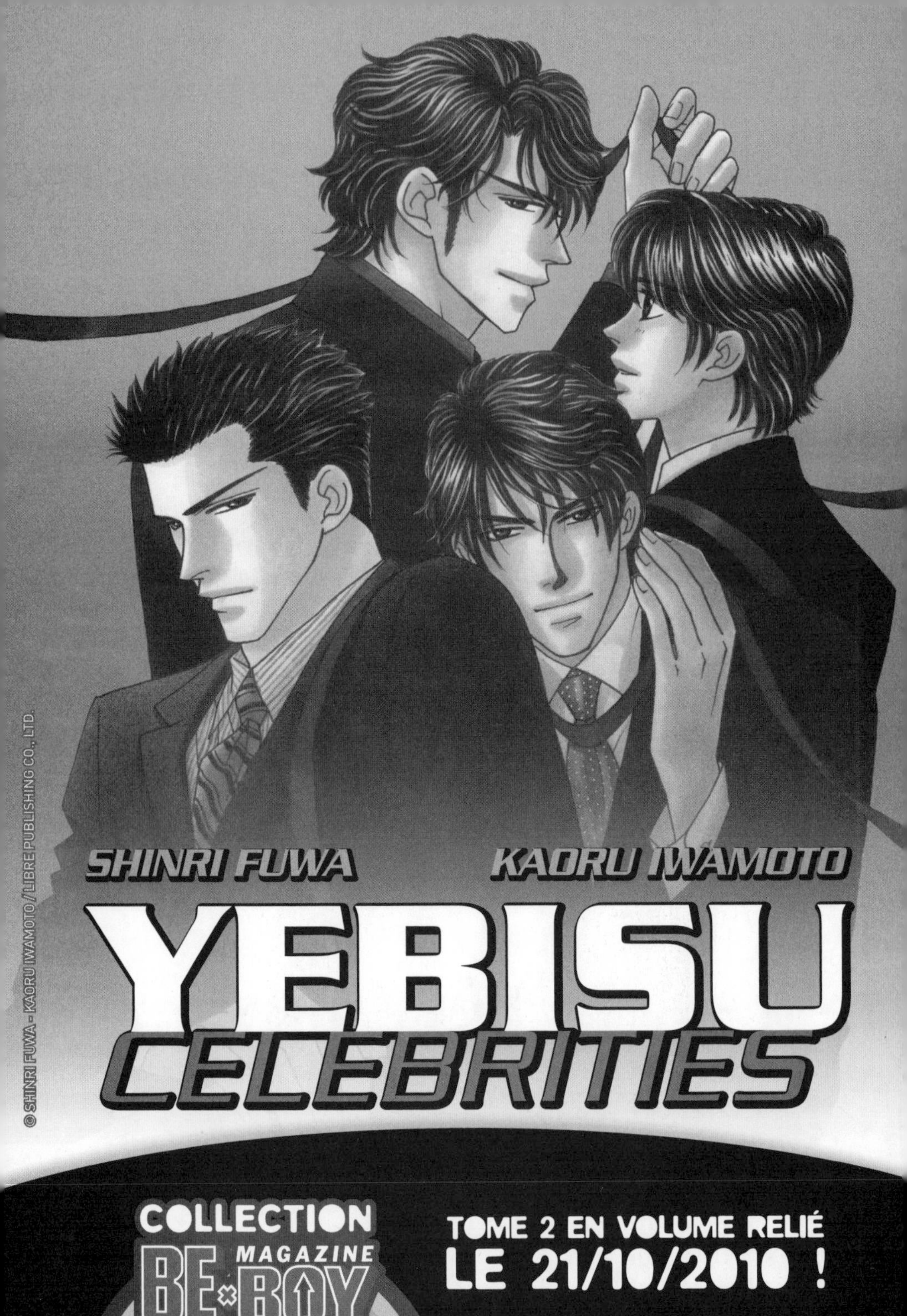

SHINRI FUWA
KAORU IWAMOTO
YEBISU
CELEBRITIES
COLLECTION
MAGAZINE
BE×BOY
TOME 2 EN VOLUME RELIÉ
LE 21/10/2010 !
© SHINRI FUWA - KAORU IWAMOTO / LIBRE PUBLISHING CO., LTD.

HARUKA.
—Merry Christmas—
CE SOIR ...
RENTRONS ENSEMBLE ...
À suivre...

PATRON ...
EST-CE QUE VOUS M'AVEZ ATTENDU ?
PATRON ...

EST-CE QUE JE SUIS EN TRAIN DE RÊVER ?
Afr !
JE... JE SUIS... DÉSOLÉ, JE...
JE N'AI RIEN APPORTÉ ...
AAAAH
SWII
SWII
C'EST DÉJÀ SUFFISANT ...
AH ...
T'AVOIR À MES CÔTÉS SUFFIT À ME COMBLER.
SA MAIN EST GLACÉE ...
COMBIEN DE TEMPS EST-IL RESTÉ DANS LE FROID ?

EST-CE QU'IL M'ATTENDAIT ?
BON, ALORS ON VA POUVOIR TRINQUER AVEC ÇA !
CLOUPS
HEIN ?!
C'EST UNE BOUTEILLE DE VIN DE MON ANNÉE DE NAISSANCE ?!
LA TACHE
ÇA DOIT COÛTER UNE FORTUNE !!
AAAAAH
EN FAIT, JE COMPTAIS LA BOIRE AVEC TOI À "L'ATELIER DE JOËL ROBUCHON", ILS SONT ALLÉS LA CHERCHER SPÉCIALEMENT DANS LA CAVE DU RESTAURANT ...
VOUS... VOUS AVIEZ PRÉPARÉ ÇA POUR MOI ?
C'EST MON CADEAU DE NOËL.
LUI ? POUR... MOI... VRAIMENT ?

PATRON !
CE N'EST PAS POSSIBLE ...
TU AS PU RENDRE TON DEVOIR SANS PROBLÈME ?
O... OUI ! GRÂCE À VOUS, J'AI PU LE TERMINER À TEMPS !

AH !
Qu'est-ce qu'il a, celui-là ?
SNIF SNIF
JE SUIS VRAIMENT PATHÉTIQUE... IL VAUT MIEUX QUE JE RENTRE !!
トボ トボ
TAP TAP
HARUKA !
?
?
?
J'AI CRU ENTENDRE MON NOM ...
HARUKA, PAR ICI !
OH ...

J'AVAIS TELLEMENT ENVIE DE PASSER CE MOMENT AVEC VOUS ...
ET MÊME SI VOUS NE POUVEZ PAS ME SUPPORTER ...
JE VOULAIS ÊTRE À VOS CÔTÉS.

ET PUIS DE TOUTE FAÇON, JE SUIS BIEN INCAPABLE DE TENIR UNE CONVERSATION CAPTIVANTE ...
À SES YEUX ...
JE DOIS PROBABLEMENT ÊTRE TRÈS ENNUYEUX.
JE SAIS BIEN QUE JE NE SUIS PAS TRÈS INTÉ-RESSANT ...
MAIS, PATRON ...

AU FOND DE MOI, J'ESPÉRAIS UN PEU QU'IL M'AURAIT ATTENDU ...
HAA
JE SUIS VRAIMENT TROP BÊTE ...
EN PLUS, JE N'AI PAS D'APPEL EN ABSENCE NI DE MESSAGE ...
BON, JE RENTRE.
IL N'ALLAIT PAS M'ATTENDRE INDÉFINIMENT ALORS QU'IL NE SAVAIT MÊME PAS SI JE VIENDRAIS OU NON ...
SURTOUT LE SOIR DE NOËL.
CE N'EST PAS SON GENRE D'ATTENDRE QUELQU'UN POUR ALLER MANGER ...
IL EST SÛREMENT ...
EN TRAIN DE PASSER UN BON REPAS AVEC UN AUTRE QUE MOI ...
HUMPF
OH ...

FINALEMENT, J'AI RÉUSSI À TERMINER MON DEVOIR ET JE ME SUIS PRÉCIPITÉ À L'AGENCE DÈS LA FIN DU COURS, MAIS ...
HAA
HAA
IL N'Y AVAIT DÉJÀ PLUS PERSONNE DANS LES LOCAUX.
IL EST 21 H 30 ...
C'EST NORMAL.
L'AUTRE JOUR, J'AI EU L'IMPRESSION QUE LE RENDEZ-VOUS N'ÉTAIT PAS VRAIMENT ANNULÉ...
"FAIS DE TON MIEUX, HARUKA !"

24 DÉ-CEMBRE ...
FAIS DE TON MIEUX, HARUKA !
PATRON ...
CHRISTMAS
SOLDES DE FIN D'ANNÉE

TU VEUX DIRE QUE TU NE POURRAS PAS VENIR LE 24, SI TU VEUX VALIDER TON ANNÉE À L'ÉCOLE ?
IL A RAISON D'ÊTRE EN COLÈRE, C'EST UNE EXCUSE COMPLÈTEMENT PATHÉTIQUE...
JE SUIS DÉSOLÉ...
MAIS TU VAS AVOIR LE TEMPS DE FINIR CE DEVOIR EN QUATRE JOURS ?
AH... EUH, OUI !
SUPER SÉRIEUX
BON, D'ACCORD.
À PARTIR DE MAINTENANT, TU PASSERAS TOUT TON TEMPS LIBRE SUR CE DEVOIR.
VOUS... VOUS ÊTES SÛR ?!
APRÈS TOUT, C'EST AUSSI UN PEU DE MA FAUTE SI TU AS SAUTÉ DES COURS.
ボソ
HA !

En cours
GNNNN
Courage, courage !
AAAAAH
Courage !
Panne d'o-reiller !!
Fujinami, est-ce que ça va ?!
Coura...
AAH
Me
...
Je n'y arriverai jamais ...
On est déjà le 20 et je n'ai pas encore eu un seul instant pour m'occuper du devoir ...
À ce train-là, je n'aurai jamais terminé pour le 24 et mon année ne sera pas validée ...
Patron, je...
En fait ...

IL FAUT QUE TU TE LIBÈRES POUR LE 24 AU SOIR.
IL FAUT À TOUT PRIX QUE J'AIE TERMINÉ MON DEVOIR AVANT LE 24 !
JE PEUX LE FAIRE !!
SI JE VEUX PASSER LE RÉVEILLON DE NOËL AVEC LUI !
ALLEZ, COURAGE !
JE FERAI TOUT POUR Y ARRIVER !
FUJINAMI, ELLES NE SONT TOUJOURS PAS FAITES, CES PHOTOCOPIES ?!
JE SUIS DÉSOLÉ ! JE VOUS LES APPORTE DANS UNE MINUTE !

J'AI BEAU TRAVAILLER DANS UNE AGENCE RENOMMÉE ...
JE SAVAIS QUE C'ÉTAIT RISQUÉ DE NE PAS VENIR EN COURS PLUSIEURS JOURS DE SUITE ...
JE LOUPE DE PLUS EN PLUS DE COURS DEPUIS QUE JE TRAVAILLE À L'AGENCE.
POUR COMPENSER VOS ABSENCES, JE VAIS DEVOIR VOUS DEMANDER DE ME RENDRE UN DEVOIR SUPPLÉMENTAIRE QUI COMPTERA DANS LA NOTE FINALE.
VRAIMENT ?!
PAS... PAS DE PROBLÈME !
EUH... NON ...
CELA POSE PROBLÈME ?
VOUS DEVREZ ME LE REMETTRE POUR LE 24 DÉCEMBRE, AU PLUS TARD.
QUOI ?!
COMMENT FAIRE ? C'EST LE JOUR DU RENDEZ-VOUS ...
DANS CETTE ÉCOLE, IL N'EST PAS POSSIBLE DE REDOUBLER.
LES ÉLÈVES QUI NE VALIDENT PAS LEUR ANNÉE SONT TOUT SIMPLEMENT RENVOYÉS.

"L'ATELIER DE JOËL ROBUCHON" EST UN RESTAURANT FRANÇAIS TRÈS CONNU, C'EST UN BÂTIMENT EMBLÉMATIQUE DU GARDEN PLACE D'EBISU.
LÀ
MAIS JE CROYAIS QU'IL FALLAIT RÉSERVER PLUSIEURS ANNÉES À L'AVANCE POUR AVOIR UNE TABLE LÀ-BAS LE SOIR DU 24 DÉCEMBRE ...
M... MAIS... VOUS... VOUS AVEZ VRAIMENT PU AVOIR UNE RÉSERVATION ?
J'AI DES RELATIONS.
HÉ HÉ !
WAAAH
ÉVIDEMMENT !
VOUS ÊTES SÛR ?
MAIS OUI !
PASSER LE SOIR DU RÉVEILLON AVEC LUI... ON DIRAIT UN RÊVE.
GNN
J'AI DU MAL À Y CROIRE ...

IL FAUT QUE TU TE LIBÈRES POUR LE 24 AU SOIR.
VOILÀ CE QUE MON PATRON M'A DIT FIN NOVEMBRE ...
SHINRI FUWA
KAORU IWAMOTO
YEBISU CELEBRITIES
J'AI RÉSERVÉ UNE TABLE DANS LE RESTAURANT DE JOËL ROBUCHON*.
QUOI ?!
*LE CÉLÈBRE CUISINIER FRANÇAIS POSSÈDE UN RESTAURANT À TOKYO, NDT.

SHINRI FUWA KAORU IWAMOTO

YEBISU CELEBRITIES

Résumé

Haruka Fujinami, jeune diplômé, a été embauché à temps partiel dans la plus grande agence de graphisme : Yebisu Graphics où tous les employés sont des stars appelées les "Yebisu Celebrities". Alors que **Haruka** s'intègre de mieux en mieux dans la vie de l'entreprise, il apprend que s'il veut passer dans la classe supérieure, il doit rendre impérativement un devoir pour ses cours du soir, en plus de son emploi du temps bien chargé à l'agence et de sa liaison avec son patron, le beau **Takashi Daijô**. Le jeune homme arrivera-t-il à concilier études et passion ?

Mot sur l'auteur

Shinri Fuwa est née un 31 mars. Elle dessine essentiellement des yaoi et du shônen-ai, et est également l'auteur de *Gravity Eyes*. Très productive, elle écrit des histoires aussi nombreuses que variées.

Mots mêlés spécial Boy's Love

Trouve le mot secret : un métier so romantic

I	M	E	M	O	R	I	E	S	■	E	R	U	E	T	I	A	R	T	■
F	O	E	T	A	M	G	I	T	S	T	R	E	N	I	Z	A	G	A	M
U	D	A	A	M	N	E	S	I	E	T	A	T	A	T	E	N	O	R	E
W	U	■	Y	T	R	I	A	D	E	E	T	Y	A	K	U	S	A	U	S
A	O	O	T	O	M	A	W	I	■	R	S	J	S	E	M	E	C	E	U
E	C	N	E	I	R	E	P	X	E	E	L	A	U	■	M	O	O	D	M
O	E	R	U	S	S	E	L	B	R	P	Y	P	K	O	U	L	T	N	I
I	J	A	L	O	U	S	I	E	I	U	C	O	E	P	■	E	A	E	K
M	V	I	C	O	M	T	E	■	E	S	E	N	L	■	O	O	G	V	U
■	N	O	I	S	S	E	F	N	O	C	E	E	G	A	Y	N	E	N	Z
P	E	N	N	E	M	I	S	E	U	Q	I	N	O	T	A	L	P	O	A
H	M	O	T	O	N	I	A	■	S	E	M	L	I	B	R	E	S	I	N
Y	N	M	E	S	S	E	N	E	M	■	U	A	B	O	Y	L	U	T	I
S	O	S	E	X	Y	I	I	Y	U	N	I	Q	N	■	M	O	Z	A	M
I	M	■	J	A	L	R	S	A	M	A	N	T	I	N	■	V	U	C	A
Q	E	D	K	E	E	T	R	O	M	A	N	C	E	T	E	E	K	U	M
U	D	U	H	R	I	E	T	S	I	H	P	A	R	G	S	Q	I	D	O
E	S	P	C	Q	N	O	I	T	A	C	U	D	E	E	R	Y	U	E	U
A	R	U	U	E	■	R	E	U	Q	I	L	O	H	T	A	C	M	I	R
O	S	E	E	T	N	I	E	R	T	E	I	J	H	O	N	N	E	T	N

Attention : chaque lettre ne peut être utiliser qu'une seule fois

Liste des mots à trouver

AMANT
AMNESIE
AMOUR
ASUKA
BLESSURE
BOY
CATHOLIQUE
CONFESSION
COUPLE
DEMON
DUO
EDUCATION
ENNEMIS
ETREINTE
EXPERIENCE
FUWA
GAY
GRAPHISTE
IWAMOTO
JALOUSIE
JAPON
LIBRE
LOVE
LYCEE
MAGAZINE
MANNEQUIN
MEMORIES
MESSE
MINAZUKI
MIO
MOTONI
MUSE
MYSTIQUE
NOEL
ORPHELIN
OTAGE
PHYSIQUE
PLATONIQUE
REEDUCATION
RIE
ROMANCE
SEME
SEXY
STAR
STIGMATE
SUCRERIES
SUPERETTE
SUZUKI
TATENO
TENNOHJI
TRAITEUR
TRIADE
UKE
UNI
VENDEUR
VICOMTE
YAKUSA
YAOI

KÉZAKO ABC le lexique BExBOY

Bishônen : Jeune homme au look androgyne considéré comme un canon de beauté.

Boy's love : Manga féminins mettant en scène des relations homosexuelles entre hommes d'un point de vue fantasmé. Lus à partir du collège, leur degré d'érotisme dépend de l'âge des lectrices.

Chibi : Nom japonais qui définit une petite personne ou un enfant. Par extension, ce terme est devenu une façon de désigner la représentation enfantine d'un personnage (exemples : *CHIBI VEGETA, CHIBI SAILOR MOON*).

Dôjinshi : Fanzine nippon, édité par des indépendants, principalement parodique, et souvent érotique.

Fan art : Désigne toute illustration réalisée par un fan et s'inspirant ou reproduisant un ou plusieurs personnages, une scène ou l'univers d'une œuvre existante, qu'elle soit littéraire, picturale ou audiovisuelle.

Fanfic (ou fanfiction) : Désigne une fiction écrite par un fan, mettant en scène des héros d'une série télévisée, d'un film, anime, jeu vidéo, livre ou encore d'une bande dessinée.

One-shot : Utilisé pour désigner une bande dessinée en un seul volume.

Seme : Vient du verbe "semeru" qui veut dire attaquer. Dans le boy's love, on utilise le terme seme pour le partenaire dominant.

Shônen-ai : Amour entre deux personnages de sexe masculin, qui reste souvent sous-entendu et platonique. Généralement, c'est un élément secondaire en marge de l'histoire principale, mais il existe des manga exclusivement basés sur le shônen-ai.

Shôta / shôta con : Ce mot provenant du japonais est une contraction de Shôtarô complex, qui désigne au Japon l'attirance d'un homme ou d'une femme pour un jeune garçon. Ce terme désigne également les relations entre mineurs de moins de 16 ans. Par extension, il désigne certains boy's love ou hentai à caractère pédophile.

Uke : Vient du verbe "ukeru" qui veut dire subir. On utilise le terme uke pour désigner le partenaire qui subit les avances du seme.

Yaoi manga : Terme qui désigne toutes les histoires mettant en scène des relations homosexuelles masculines, et peut faire référence aussi bien à un boy's love qu'à un manga à destination du public gay.

Yuri manga : Manga mettant en scène des relations homosexuelles entre filles. Les yuri manga s'adressent à un public de jeunes femmes adultes.

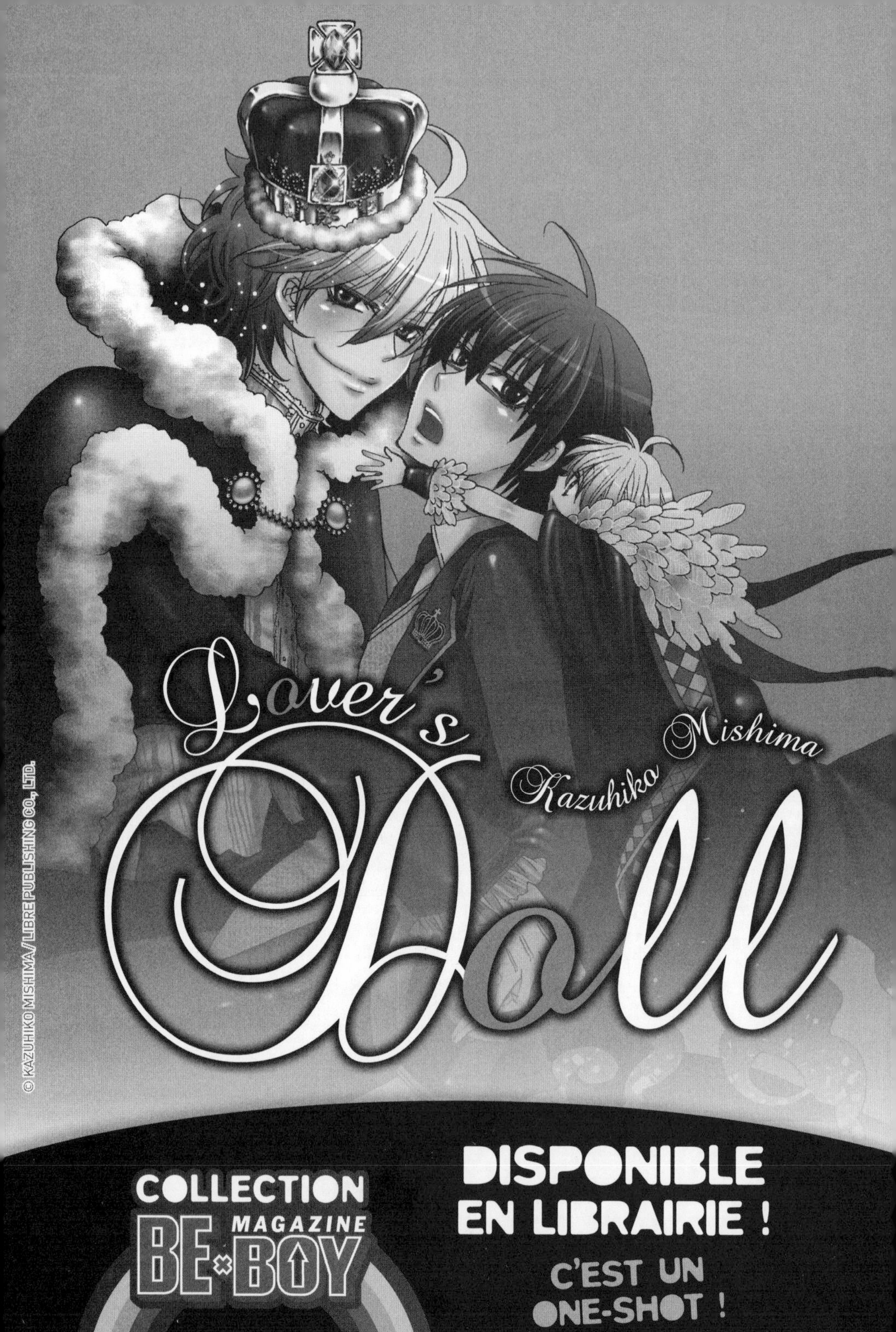

Lover's Doll
Kazuhiko Mishima
© KAZUHIKO MISHIMA / LIBRE PUBLISHING CO., LTD.
COLLECTION
MAGAZINE
BE×BOY
DISPONIBLE
EN LIBRAIRIE !
C'EST UN
ONE-SHOT !

SANO …
ALORS ?
QU'EST-CE QUE TU FAISAIS, TOUTE CETTE SEMAINE ?
AH …
FIGURE-TOI QUE TON COLLÈGUE …
SANO …
QUE …
YOSHINOOO !!
IL EST DU GENRE À FUIR QUAND ON LUI COURT APRÈS, ALORS FAIS-TOI OUBLIER QUELQUE TEMPS.
Je te dirai quand tu pourras revenir.
Ah bon ?
GRR …
BRR
BRR
AH LÀ LÀ …
À suivre…

HAA !
BIEN SÛR QUE C'EST LA PREMIÈRE FOIS !
NAKA-MACHI ...
HUM ...
TCHOUIC
TCHOUIC
HUUM ...
JE T'AIME ...
HAA !
HAA !
TU CROIS QUE JE LAISSE N'IMPORTE QUI ME FAIRE ÇA ?
Idiot !
FLOUTCH
ZOUIP
ZOUIP
HA ...
GHH ...
HA !
FLOTCH
GHH ...

PAS DU...
HAA !
HAA !
HAA...
C'EST JUSTE PARCE QUE ...
ÇA FAIT LONGTEMPS ...
HUM ...
TU COMMENÇAIS À ROUILLER ?
ÉCRASE !!
C'EST LA PREMIÈRE FOIS PAR ICI ...
NON ?
MAIS ...
WOUAH !
PSHII
ATT...
GLOUP
HA ...
HA !

SMOUCK
ALLEZ ...
LAISSE-TOI DÉVORER BIEN SAGEMENT.
...
HUM ...
SMOUCK
SMOUCK
...
SLICK
HA !
AAH !
...
HAA ...
HA ...
SLICK
SLICK
FLICK
ÇA TE FAIT DRÔLEMENT DE L'EFFET !
HAA ...
AAH !

SINON TU VAS ENCORE DIRE QUE TU T'ES LAISSÉ EMBOBINER, HEIN ?
EUH...
ALORS ...
JE DOIS TE METTRE DEVANT LE FAIT ACCOMPLI POUR QUE TU ARRÊTES DE FUIR.
BLUUSH
ET PUIS ...
JE NE SUIS PAS DU GENRE À LÂCHER LE MORCEAU.
GNIII
HII !!
BOUT DE VIANDE ↓
JE NE SUIS PAS À MANGER !!
Ho hoo !
ÇA, C'EST UNE IDÉE !

JE T'AIME ...
SANO ...
TU VEUX VRAIMENT LE FAIRE ?!
On s'est déshabillés, mais bon...
GNII
ÉVIDEM-MENT.

GWIP
!
SANO ?!
GLOUP
OÙ ÉTAIS-TU PASSÉ ...
À L'INSTANT ...
CE QUE TU VIENS DE DIRE ...
C'EST VRAI ?
GNII
...
OUI ...

NON...
J'AURAIS CARRÉMENT MIEUX FAIT DE LUI DIRE QUE JE L'AIME.
...
NAKA-MACHI ...
EUH ...
...
SA...
SANO ?

CE MAGASIN EST LA SEULE CHOSE QUI NOUS RELIE.
!
J'AURAIS PU EN APPRENDRE UN PEU PLUS ...
J'AURAIS MIEUX FAIT D'ACCEPTER DE SORTIR AVEC LUI.
D'AILLEURS ...
JE N'IMAGINAIS PAS...
NE PLUS LE VOIR.
TAC

...
IMPOSSIBLE ...
GN
?
JE NE LE CONNAIS PAS.
JE N'AI PAS SON NUMÉRO NI SON ADRESSE MAIL ...
JE L'AI RÉALISÉ CETTE SEMAINE ...
EN FAIT ...
JE NE SAIS RIEN DE LUI !
ET ÇA NE SE LIMITE PAS À CES COORDONNÉES-LÀ ...
JE NE SAIS MÊME PAS OÙ IL HABITE NI À QUELLE ÉCOLE IL EST INSCRIT.
C'EST EN ARRÊTANT DE SE VOIR QUE J'AI COMPRIS LE SENS DE SES MOTS.
"C'EST JUSTE QUE JE N'AI PAS D'AUTRE ENDROIT OÙ ALLER."

ON NE PEUT VRAIMENT PAS LE LAISSER ...
Hein ?
NAKA-MACHI.
IL VA BIENTÔT ÊTRE TEMPS DE RENTRER.
HEIN ?
AH ...
IL EST DÉJÀ SI TARD ?
...
MÊME SI VOUS NE VOUS VOYEZ PAS, TU PEUX AU MOINS L'APPELER !
NAKA-MACHI ...
!
POURQUOI EST-CE QUE TU NE LUI DIS PAS, SI CELA TE REND SI MALHEUREUX ?
TU AS PEUR DE FAIRE LE PREMIER PAS ?
...

JE...
NAKAMACHI ...
N'A VRAIMENT PAS L'AIR EN FORME.
CELA FAIT UNE SEMAINE QUE SANO NE VIENT PLUS.
QU'EST-CE QUI A BIEN PU LUI ARRIVER ?
...

HEIN ?
RIEN ...
JE N'AI NI SON ADRESSE MAIL NI SON NUMÉRO ...
DANS MON RÉPERTOIRE ...
SAITO
SATAKE
SANAE
SHINAGAWA
SHOTA
MENU - AFFICHER
SANO ...
...

JE DÉBLO-QUE.
パカッ CLAP
パクン CLAC !!!
...
...
CLAP パカ
HUUM
POURQUOI EST-CE QUE J'HÉSITE AUTANT ...
POUR PASSER UN COUP DE FIL, MOI ?
On dirait un gosse !
HAA
CLAC パクン
SI ÇA SE TROUVE, IL EST TOMBÉ MALADE.
JE VAIS JUSTE LUI DEMANDER COMMENT IL VA.
GHH
...
BON, JUSTE UN MAIL ...
Sano... Sano...
TIC カコ TIC カコ
TIC カコ

NE VIENT PLUS, N'EST-CE PAS ?
...
GLOUP
TU NE SAIS PAS POURQUOI ?
...
JE NE L'AI PAS VU DEPUIS QUELQUES JOURS, RIEN DE PLUS !
IL DOIT ÊTRE OCCUPÉ ...
PAS BESOIN D'EN FAIRE TOUTE UNE HISTOIRE...
POUR TROIS MALHEUREUX JOURS SANS SE VOIR !
BONJOUR, MADAME.
JE N'AI PAS À M'EN FAIRE AUTANT.
VOULEZ-VOUS QU'ON VOUS LE RÉCHAUFFE ?

AUJOURD'HUI NON PLUS.
C'EST BIEN LA PREMIÈRE FOIS QUE ÇA ARRIVE ...
SANO ...
ALORS ?!
C'EST JUSTE QUE JE N'AI PAS D'AUTRE ENDROIT OÙ ALLER.
IL ME SORT ÇA ...
ET IL DISPARAÎT ?
TU NE T'EN ES MÊME PAS RENDU COMPTE, HEIN ?
TU REGARDES DEHORS AVEC UN AIR BIEN TRISTE ...
GLOUP
YOSHINO ...
TON AMI ...

TIENS ?
SANO ?
DEPUIS CE JOUR-LÀ, IL A SUBITEMENT DISPARU.
DÉJÀ TROIS JOURS ...
Un, deux, trois...
POURTANT, IL M'ATTENDAIT TOUJOURS DEVANT LES PORTES À MES HEURES DE SORTIE ...
NAKA-MACHI !
PAS TROP FATIGUÉ ?

Tu pourrais nettoyer dehors, après ?
Nakamachi !
Désolé de te déranger en pleine grimace, mais ...
Qu'est-ce que tu as à crier ?
Mon pauvre Sano !
Haa...
BRR
BRR
D... D'accord.
Pourquoi est-ce que je me prends la tête tout seul, moi ?
Merci !
Tout ça pour une seule petite phrase...
Je n'ai qu'à lui demander en face.
CLANG
Surtout que ça avait l'air de me concerner.
De toute façon, il doit être en train de m'attendre dehors !
SHIII

QUOI ? TU ME PRENDS POUR UN IDIOT ?!
TU NE T'EN ES MÊME PAS RENDU COMPTE, HEIN ?
...
PAS DU TOUT.
C'EST JUSTE QUE JE N'AI PAS D'AUTRE ENDROIT OÙ ALLER.
"PAS D'AUTRE ENDROIT OÙ ALLER" ?
QU'EST-CE QU'IL A VOULU DIRE ?
Va me chercher à boire !
Aïe !
IL N'A PAS UN SEUL AMI ?
PEUT-ÊTRE QU'IL SE FAIT BATTRE, CHEZ LUI ?!
Whaa...

JE N'AI PAS RÉELLEMENT EU L'OCCASION D'Y RÉFLÉCHIR.
TU NE VAS PAS AVOIR DE PROBLÈME, À FORCE DE VENIR TOUS LES SOIRS ?
TU N'AS PAS D'AUTRES AMIS ?
Comme tous les lycéens !
RASSURE-MOI, TU VAS BIEN À L'ÉCOLE ?!
BIEN SÛR QUE OUI.
J'AI BIEN L'INTENTION D'AVOIR MON DIPLÔME.
CECI DIT ...
TAP
...
TU N'AS RIEN COMPRIS, HEIN ?
QUOI ?
GLOUP

YOSHINO !
QUAND ON VEUT PLAIRE À TOUT LE MONDE, VOILÀ CE QU'IL SE PASSE.
IL N'ATTEND QUE TON FEU VERT !
IL NE TE RESTE QU'À PRENDRE TES RESPONSABILITÉS ...
ET TE LAISSER DÉVORER COMME UN GRAND GARÇON.
TU ME PRENDS POUR UN BOUT DE VIANDE ?!
C'EST VRAI QUE JE TROUVE QU'IL NE DEVRAIT PAS AGIR AINSI ...
NAKAMACHI ! PAS TROP FATIGUÉ ?
NON ...
MAIS ...
IL M'ATTEND COMME UN CHIEN DE GARDE ...

FACILE À DIRE !
IL NE FAUT SURTOUT PAS LE SOUS-ESTIMER ...
C'EST UN LOUP DERRIÈRE UNE APPARENCE DE CHATON !
MIAAAOU
Carresse-moi...
Tu vas voir !
GROAAR
UN LOUP ?
J'AI PLUTÔT L'IMPRESSION D'UN CHIOT QUI FAIT SON POSSIBLE POUR ATTIRER L'ATTENTION.
IL N'A RIEN D'AUSSI MIGNON QUE ÇA !
SON CARACTÈRE CHANGE DU TOUT AU TOUT !
AH BON ?
DANS CE CAS, POURQUOI EST-CE QUE TU NE LUI DIS PAS NON ?
PARCE QUE... JE...
Quoi ?
DÉCIDE-TOI !
C'EST POUR ÇA QU'IL ARRIVE TOUJOURS À T'EMBOBINER.
GHH ...
DANS SON CAS, IL NE PEUT S'EN PRENDRE QU'À LUI-MÊME !
?

LE PIRE ...
EN TOUT CAS, TU AVAIS L'AIR D'AIMER ÇA !
QUOI ?! PAS DU TOUT !
Qu'est-ce que tu racontes ?!
GLOUP
C'EST QUE J'AI RESSENTI QUELQUE CHOSE POUR UN AUTRE HOMME !
Par erreur...
ET PUIS, À TOUS LES COUPS IL VA M'EMMENER DANS DES COINS BIZARRES.
SI JE NE FAIS PAS QUELQUE CHOSE ...
J'AI PEUR DE ME LAISSER FAIRE ET DE M'ENGAGER TROP LOIN !
POURQUOI ?
TU PEUX BIEN SORTIR AVEC LUI UNE FOIS !

D'ABORD ÇA NE SE FAIT PAS ENTRE GARÇONS ...
TU N'AS PAS HONTE, TOI ?!
HONTE DE QUOI ?
BLUUSH
SURTOUT QU'ON S'EST DÉJÀ EMBRASSÉS ...
C'est trop tard, maintenant...
CE N'EST PAS CE QUE TU CROIS !
C'EST TOI QUI L'AS FAIT PAR SURPRISE !
ÇA NE COMPTE PAS !
JE T'AIME.
IL M'A DIT QU'IL M'AIMAIT QUELQUES SEMAINES PLUS TÔT ...
ET M'A MÊME EMBRASSÉ.

MA VIE ÉTAIT TOUT CE QU'IL Y A DE PLUS BANALE ...
DIS, NAKAMACHI ...
ÇA TE DIRAIT D'ALLER QUELQUE PART PENDANT TES PROCHAINES VACANCES ?
AVANT QUE CE TYPE NE DÉBARQUE !
HEIN ?
AVEC QUI ?
À TON AVIS ? MOI !
Juste tous les deux...
...
HISTOIRE QU'ON FASSE COMME LES VRAIS COUPLES, DE TEMPS EN TEMPS ...
QUE...
TU NE T'IMAGINES PAS QU'ON EST UN COUPLE ?!

OPEN
24 hours
A DAY
Mio Tennohji

Résumé

Nakamachi travaille quelques jours par semaine dans une petite supérette ouverte 24h/24. Depuis quelque temps, un mystérieux lycéen passe à sa caisse pour n'acheter que des sucettes. Poussé par ses collègues, il a finalement abordé le jeune homme, **Sano**, et après quelques explications, **Nakamachi** accepte de partager les sentiments que ce dernier éprouve pour lui. Mais s'engager dans une vraie relation est beaucoup plus compliqué, et **Sano** devra se montrer rusé pour que **Nakamachi** dévoile enfin ce qu'il ressent réellement pour son amant.

Mot sur l'auteur

Mio Tennohji est née un 16 septembre. Ses premiers yaoi datent de 2004, et elle s'est spécialisée dans les histoires courtes qui tiennent en un tome, voire en un chapitre. Elle aime faire des variations sur le même schéma scénaristique, avec des personnages qui évoluent souvent en milieu scolaire. Une autre de ses particularités est d'écrire des histoires assez osées !

ズル
SHLL
...
À suivre...

JE SUIS NUL !!
GNIII
JE DOIS ...
ME REFROIDIR UN BON COUP LA TÊTE !

GLOUP
!

ドクン
BOBOM
ドクン
BOBOM
ET MERDE ...
JE...
ドクン
BOBOM
JE N'ARRIVE PAS À ME CONTRÔLER !

JE RÉALISE BIEN CE QUE JE FAIS ?
CETTE FOIS JE N'AI RIEN BU ...
JE NE TROUVERAI PAS D'EXCUSE.
JE PEUX ENCORE ...
M'ARRÊTER ...

LA DERNIÈRE FOIS, J'AVAIS BU …
ET JE NE ME SOUVIENS MÊME PAS …
DE CE QUE J'AI PU RESSENTIR.
ET PUIS IL N'ÉTAIT PAS CONSENTANT NON PLUS …
MAIS…
C'EST DOMMAGE …
À quoi est-ce que je pense ?!
AKITO !
ON VA RENTRER !
GWIP
C'EST VRAI QU'IL A LE SOMMEIL LOURD …
DÉCIDÉMENT …

J'AI FAIT TOUT CE QUE J'AI PU POUR QUE SA MÉMOIRE LUI REVIENNE, SANS SUCCÈS...
MAIS ICI, C'EST DIFFÉRENT.
CET ENDROIT DEVAIT ÊTRE VRAIMENT IMPORTANT POUR TOI...
CET ENDROIT QUI M'EST INCONNU...
HUM...
Ça y est, je recommence à déprimer !
PAF
PAF
PSH!!!

IL N'Y A VRAIMENT PERSONNE ...
JUSQU'OÙ A-T-IL ÉTÉ ?
AH !
OH, AKITO !
IL DORT ?
TU NE DEVRAIS PAS DORMIR ICI.
TU VAS T'ENRHU-MER.
HUUM ...
BAH, IL FAIT PLUTÔT BON, AU-JOURD'HUI ...
LE VENT EST BIEN AGRÉABLE ...
ET LA NATURE EST SI BELLE ...

NOTRE FAMILLE, L'ENDROIT OÙ IL VIT ...
LUI-MÊME ...
IL A UNE QUANTITÉ DE CHOSES ENFOUIES AU FOND DE SA TÊTE.
IL A OUBLIÉ TOUT CELA ...
MAIS SA COPINE RESTE BIEN PRÉSENTE DANS UN COIN DE SON CERVEAU ?
TAC
MAMAN ? OÙ SONT LES AUTRES ?
J'étais aux toilettes...
ILS SONT ALLÉS PÊCHER EN FACE.
AKITO VOULAIT MARCHER UN PEU, LUI.
AH BON ?
CLAP
TU NE VEUX PAS ALLER TE PROMENER ?
SI, BONNE IDÉE.

UN PEU ...
L'ÉTÉ, IL Y A UN FEU D'ARTIFICE SUR LES BERGES EN CONTREBAS.
ICI, C'EST UNE DES MEILLEURES PLACES POUR L'ADMIRER.
AH BON ?
ALORS JE SERAIS VENU LE VOIR AVEC DES AMIS ?
AVEC QUI ?
Ha ha !
TU NE M'EN AS JAMAIS PARLÉ !
SÛREMENT AVEC MINAKO, NON ?
ENCORE MORII ...
C'EST POSSIBLE QUE TU T'EN SOUVIENNES.
ON REVIENDRA LE JOUR DU FEU D'ARTIFICE !
C'est bientôt...
D'accord ...

AKITO …
ÇA VA ?
OUI, JE CROIS …
?
DEPUIS QU'ON EST ARRIVÉS, J'AI COMME L'IM-PRESSION …
D'AVOIR DÉJÀ VU CET ENDROIT À UN MOMENT DONNÉ.
HEIN ?
ON EST DÉJÀ VENUS TOUS LES DEUX ?
NON, JAMAIS …
MOI, C'EST LA PREMIÈRE FOIS QUE JE VIENS ICI.
CRIC
TU TE SOUVIENS DE CE LIEU ?

MON PÈRE A PROPOSÉ QU'ON AILLE TOUS ENSEMBLE FAIRE UN BARBECUE SUR LES BERGES DE LA RIVIÈRE ...
C'EST LA PREMIÈRE FOIS DEPUIS L'ACCIDENT D'AKITO.
C'EST TOI QUI DÉVORES TOUT !
T'AS QU'À ALLER PLUS VITE.
Eh ben !
CELLES-CI AUSSI SONT PRÊTES !
TIENS, UNE BROCHETTE BRÛLÉE RIEN QUE POUR TOI.
NON MERCI !
APPAREMMENT, ÇA LUI FAIT DU BIEN DE SE CHANGER LES IDÉES. TANT MIEUX.
Allez, fais-moi plaisir !
QUI VEUT DES FRAISES ?
SHIII
AKITO ...
Tiens ?
Moi !

TU M'AS UN PEU SURPRIS, MAIS COMME TU AVAIS BU ...
OUBLIONS ÇA !
POF
Pas de souci !
MERCI ...
ET ENCORE PARDON ...
J'AURAIS ENCORE PRÉFÉRÉ QU'IL SE FASSE DES IDÉES ...
HAAA !
KÔ ! C'EST À MOI, ÇA !

AKITO …
HA !
JE N'AI PAS ENCORE EU LE TEMPS DE T'EN REPARLER, POUR HIER …
GLOUP
AH, ÇA C'EST…
TOUT SE PASSE BIEN D'HABITUDE, EN SOIRÉE ?
HEIN ?
EN SOIRÉE ?
JE ME DEMANDAIS SI TU N'ÉTAIS PAS DU GENRE À EMBRASSER TOUT LE MONDE, QUAND TU AS BU.
EUH…
DEPUIS CE MATIN TU ES BIZARRE …
ALORS JE NE SAVAIS PAS COMMENT ABORDER LE SUJET.
IL NE M'EN VEUT PAS ?
ALORS IL FAIT ATTENTION À MOI, À SA MANIÈRE ?
OU PEUT-ÊTRE AU CONTRAIRE …
Je n'y comprends rien…

TU T'INQUIÉTAIS POUR MOI, NON ?
TU AVAIS PEUR DE FAIRE REMONTER DES SOUVENIRS DOULOUREUX ?
TE CONNAISSANT, C'EST CE QUE JE ME SUIS DIT.
HAA...
Idiot !
ON VIT SOUS LE MÊME TOIT, ALORS JE COMMENCE À COMPRENDRE COMMENT TU FONCTIONNES !
MERCI !

MÊME SI JE NE M'EN SOUVIENS PAS, IL RESTE QUAND MÊME UNE IMPRESSION DIFFUSE ...
MOI QUI N'AVAIS PAS VOULU LUI EN PARLER ...
POUR LE PRÉ-SERVER ...
OU BIEN PEUT-ÊTRE ...
QUE C'ÉTAIT SEULEMENT ...
QUE J'AVAIS TROP PEUR DE LE VOIR SOUFFRIR.
TU LE SAVAIS AUSSI, N'EST-CE PAS ?
!
EXCUSE-MOI, JE...

OUI, MAIS JE VIENS SEULEMENT DE LA RENCONTRER.
TU NE T'EN SOUVIENS PAS, MAIS ...
ELLE T'A TROMPÉ PENDANT LONGTEMPS !
ELLE T'A DÉJÀ TRAHI ET T'A BEAUCOUP FAIT SOUFFRIR.
ALORS POURQUOI EST-CE QU'AUJOURD'HUI ...
C'EST VRAI QUE MAI AUSSI EST AU COURANT DE CETTE HISTOIRE ...
JE NE SAIS PAS VRAIMENT SI ÇA A UN RAPPORT AVEC CE QU'IL Y A EU AVANT ...
MAIS CE QUE JE LUI AI DIT EST VRAI.
AU MOINS, GRÂCE À MAI ...
J'AI MIEUX COMPRIS POURQUOI JE RESSENTAIS ÇA.

TAP
...
AH...
TU NE DEVAIS PAS ALLER FAIRE DES COURSES ?
AKI ...
HEIN ?
SI ...
Je suis sorti pour ça, d'ailleurs...
EN FAIT ...
MAI M'A TOUT RACONTÉ, AU SUJET DE MINAKO.
QUOI ?
AKI ! UNE CERTAINE MORII EST VENUE POUR TOI HIER, NON ?
VOUS VOUS VOYEZ BEAU-COUP, CES TEMPS-CI ?

QU'EST-CE QUE TU EN SAIS ?
PEUT-ÊTRE QU'UN JOUR TES SENTIMENTS REVIENDRONT !
DÉSOLÉ !
JE SUIS DÉSOLÉ.
...
TU EN ES BIEN SÛR, HEIN ?
OUI.

TU SAIS QUE JE T'AIME.
MAIS SEULEMENT EN TANT QU'AMIE ...
NI PLUS NI MOINS.
MÊME EN PASSANT DU TEMPS AVEC TOI DE CETTE MANIÈRE ...
JE SAIS QU'ON NE POURRA PLUS SORTIR ENSEMBLE COMME AVANT.
MAIS POURQUOI ...
VU L'ÉTAT DANS LEQUEL JE SUIS, JE NE PEUX RIEN AFFIRMER ...
MAIS C'EST CE QUE JE RESSENS.
ON PEUT SE FRÉQUENTER EN AMIS ...
MAIS JE NE POURRAI PAS TE PROMETTRE PLUS QUE CELA.
SI C'EST CE QUE TU VOULAIS, IL VAUT MIEUX QU'ON NE SE VOIE PLUS.

PAR PITIÉ ...
ARRÊTE DE TE RAPPROCHER DE LUI ...
EN FAISANT COMME SI TU NE LUI AVAIS JAMAIS FAIT DE MAL !
BOBOM
BOBOM
IL AVAIT L'AIR SI HEUREUX EN PARLANT D'ELLE, HIER.
JE NE PEUX PAS LUI DIRE ...
BOBOM
JE VOUS LAISSE ...
SHH
ATTENDS, KÔ !
GRAP
?!
HA ...
MINAKO ...

KIIIY
EUH, OUI ...
POURQUOI EST-CE QU'ELLE DÉBARQUE MAINTENANT, ELLE ?!
TIENS, MINAKO ?
GLOUP
AKITO !
QU'EST-CE QUE TU FAIS ICI À CETTE HEURE ?
J'AI FAIT UN GÂTEAU HIER, JE VOULAIS TE L'AMENER AVANT D'ALLER EN COURS !
Je sais que tu adores tout ce qui est sucré !
IL EST ASSEZ GROS, VOUS POURREZ VOUS LE PARTAGER, SI TU VEUX.
MORII... ARRÊTE DE VENIR TOUS LES JOURS !
TU CROIS QUE TU AURAS UN PEU DE TEMPS, CETTE SEMAINE ? J'AIMERAIS BIEN QU'ON SORTE TOUS LES DEUX ...

KÔ ...
POF
WAH !
EXCUSE, J'AI DES COURSES À FAIRE !
JE M'EN-FONCE !
VLAM
C'ÉTAIT POURTANT LE MOMENT DE M'EXCUSER ...
ET LUI DIRE QUE J'AI DÉRAILLÉ, HIER.
HAA
AH...
YOSHIZAWA ?
MORII ?!
ÇA FAIT UN BAIL ! TU VAS BIEN ?

CLAP
WOUAH !
GLOUP
AKITO !
HI HI !
SALUT !
SALUT ...
HEM...
QUELLE AMBIANCE BIZARRE ...
KÔ, POUR HIER ...
QU'EST-CE QUE VOUS FABRIQUEZ ?
BOBOM
KÔ, DÉPÊCHE-TOI DE PRENDRE TON PETIT DÉJEUNER !
Je voudrais ranger !
TOUT DE SUITE ...

JE FILE ME LAVER.
AH ...

HAAAA
J'AURAIS AU MOINS PU LUI DONNER UNE EXPLICATION !!
AA
TU PARLES D'UNE FAÇON DE SE DÉFILER !

HAA

JE N'AVAIS PAS L'INTENTION DE LUI AVOUER MES SENTIMENTS ...

QUAND JE L'AI VU ...

PARLER DE MORII EN SOURIANT ALORS QU'IL NE SE SOUVIENT PLUS DE CE QU'IL S'EST PASSÉ ...

JE N'AI PAS PU ME RETENIR.

J'AVAIS DÉJÀ BONDI LORSQUE J'AI RÉALISÉ ...

LAMEN-TABLE ...
MAIS À QUOI JE JOUE ... MOI ?
KÔ... TU...
HEIN ?
AH ...
JE VAIS PRENDRE UNE DOUCHE.

Lost Memories
Yu Minazuki

BE×BOY MAGAZINE

Lost Memories

Yu Minazuki

Résumé

Orphelin depuis la mort de ses parents dans un accident quand il avait 16 ans, **Akito** vit dans la famille de **Kô**, son ami d'enfance, qui tient un restaurant traiteur. Mais à la suite d'un incident, **Akito** devient amnésique, incapable de reconnaître les lieux où les gens qui lui étaient proches ou de se souvenir d'un événement de son passé. Un soir, jaloux des relations qu'il entretient avec son ex-petite amie qui essaie de renouer avec lui alors qu'elle lui a fait beaucoup de mal, **Kô** embrasse **Akito**, mais honteux de son geste, il fuit sans même s'expliquer avec son ami...

Mot sur l'auteur

Née un 7 août, **Yu Minazuki** vit actuellement à Ôsaka. *Joker no amai uso*, son premier yaoi estampillé Libre, paraît en 2009. Cette auteure, qui aime à se représenter sous la forme d'un oiseau, possède un trait simple et efficace avec lequel elle met en scène des personnages attachants et souvent en proie à des situations qui sortent de l'ordinaire, comme l'amnésie dans *Lost Memories*.

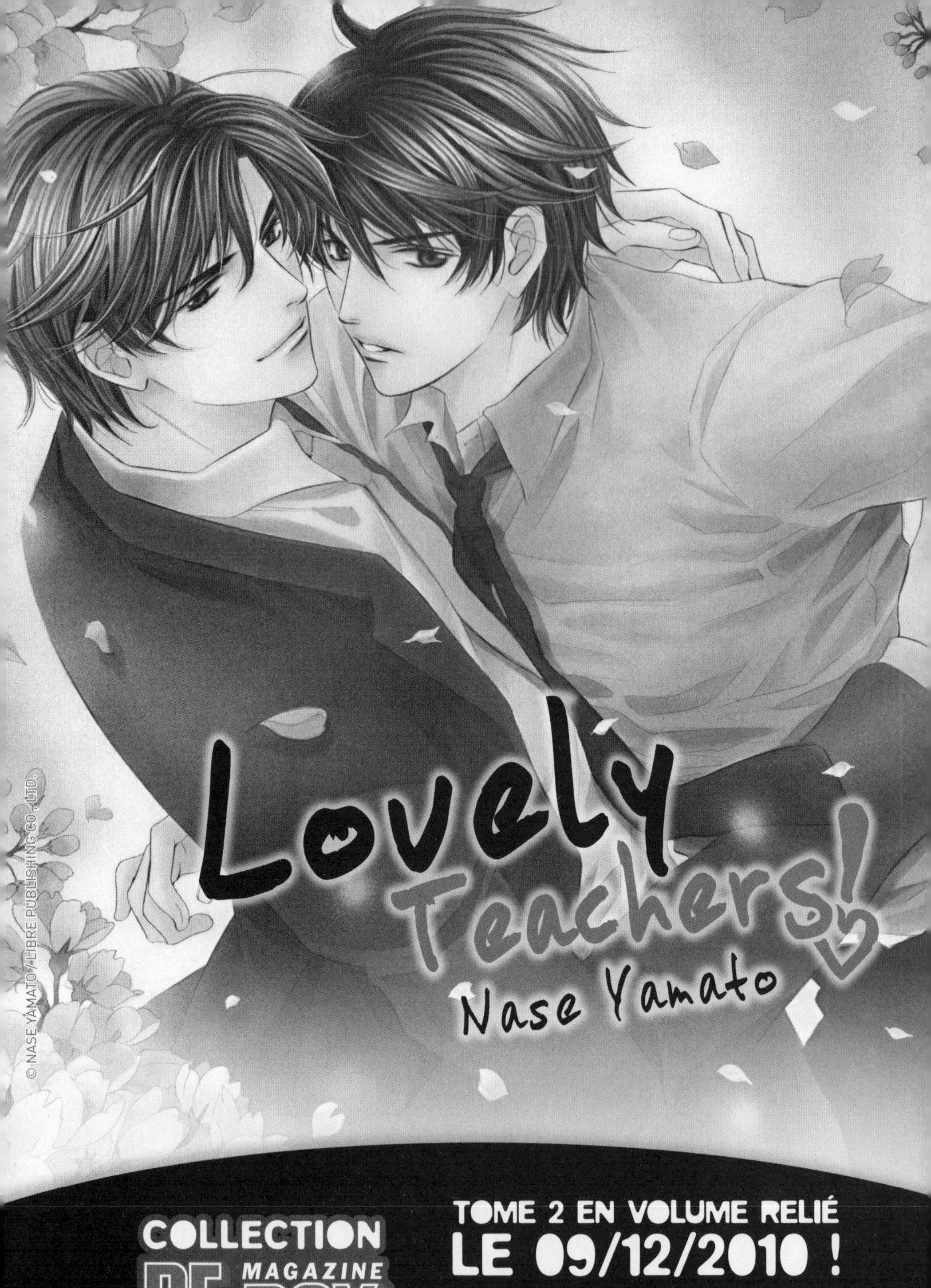
Lovely
Teachers!
Nase Yamato
© NASE YAMATO / LIBRE PUBLISHING CO., LTD.
COLLECTION
MAGAZINE
BE×BOY
TOME 2 EN VOLUME RELIÉ
LE 09/12/2010 !
ILS SONT DE RETOUR !

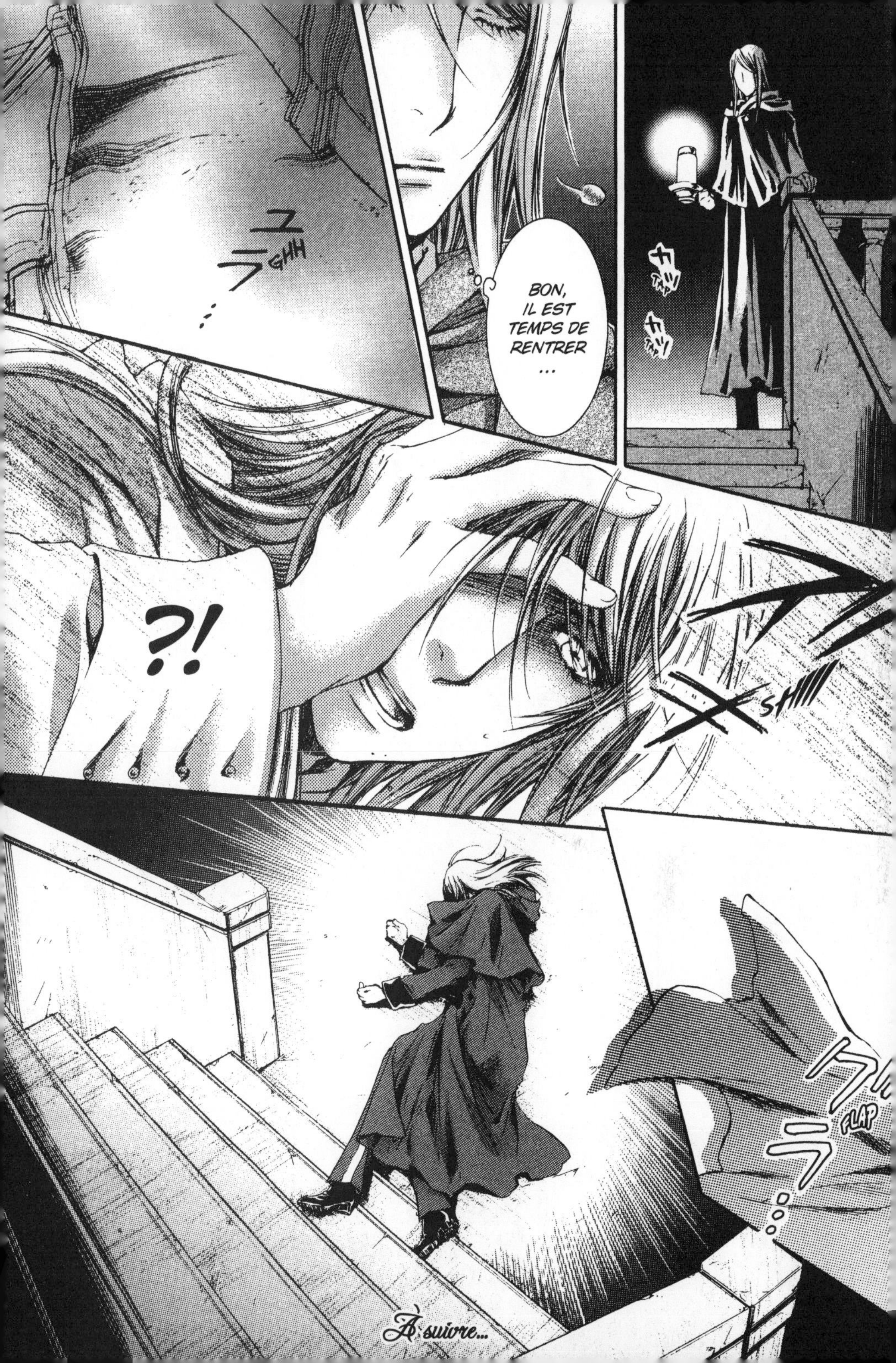
GHH
BON, IL EST TEMPS DE RENTRER ...
TAP
TAP
?!
SHHH
FLAP
À suivre...

...
TAP
ALLEZ ...
VIENS.
J'AI FAILLI RIGOLER EN LUI DEMANDANT S'IL N'AVAIT PAS D'AMI ...
MAIS JE N'EN AI PAS EU LE CŒUR QUAND JE L'AI VU PLEURER EN SILENCE.
IL A SÛREMENT BEAUCOUP HÉSITÉ AVANT DE VENIR, SON ÉPAULE ÉTAIT GELÉE.
TAP
TAP
TAP

TU M'AS DIT ...
QUE TU VOULAIS BIEN DORMIR AVEC MOI, NON ?
...
SE RAPPELLE... ↓
...
HAA ...
...
J'HAL-LUCINE.
JE NE PENSAIS PAS QUE TU LE PRENDRAIS AU SÉRIEUX !
HAA...
...
ENTRE.
TOUT LE MONDE DORT, ALORS NE FAIS PAS DE BRUIT.

HEIN ?
...
TOC
TOC
TOC
C'EST QUI ?!
GRR...
GNII
SÛREMENT EMILIO.
かちゃ
CLAP
QU'EST-CE QUE TU VEUX EMI...
!
...
QU'EST-CE QUE TU FAIS ICI, TOI ?

C'EST VRAI ...
QUE JE TROUVE ÇA UN PEU RIDICULE AUSSI ...
MAIS C'EST MIEUX QUE RIEN.
WON, ÉTEINS TA LUMIÈRE !
GNII
FROT FROT
TU LIRAS DEMAIN ...
EX-CUSE-MOI.
CLIC
POF
TANT PIS ...
SCHLAF
ESSAYONS DE DORMIR ...
TOC TOC

OH, STRAUSS !
C'EST TON TOUR DE RONDE.
DÉJÀ CETTE HEURE-LÀ ?
FLAP
TU ES SÛR...
QUE TU AS BIEN FAIT TA GARDE, HEIN ?
À QUOI ÇA SERT, DE TOUTE FAÇON ?
SEULS, ON NE SERT PAS À GRAND-CHOSE.
C'est trop vaste...

TAP
...
"SI TU VEUX...
JE POURRAIS DORMIR AVEC TOI..."
TAP
TAP
TAP
TAP
...

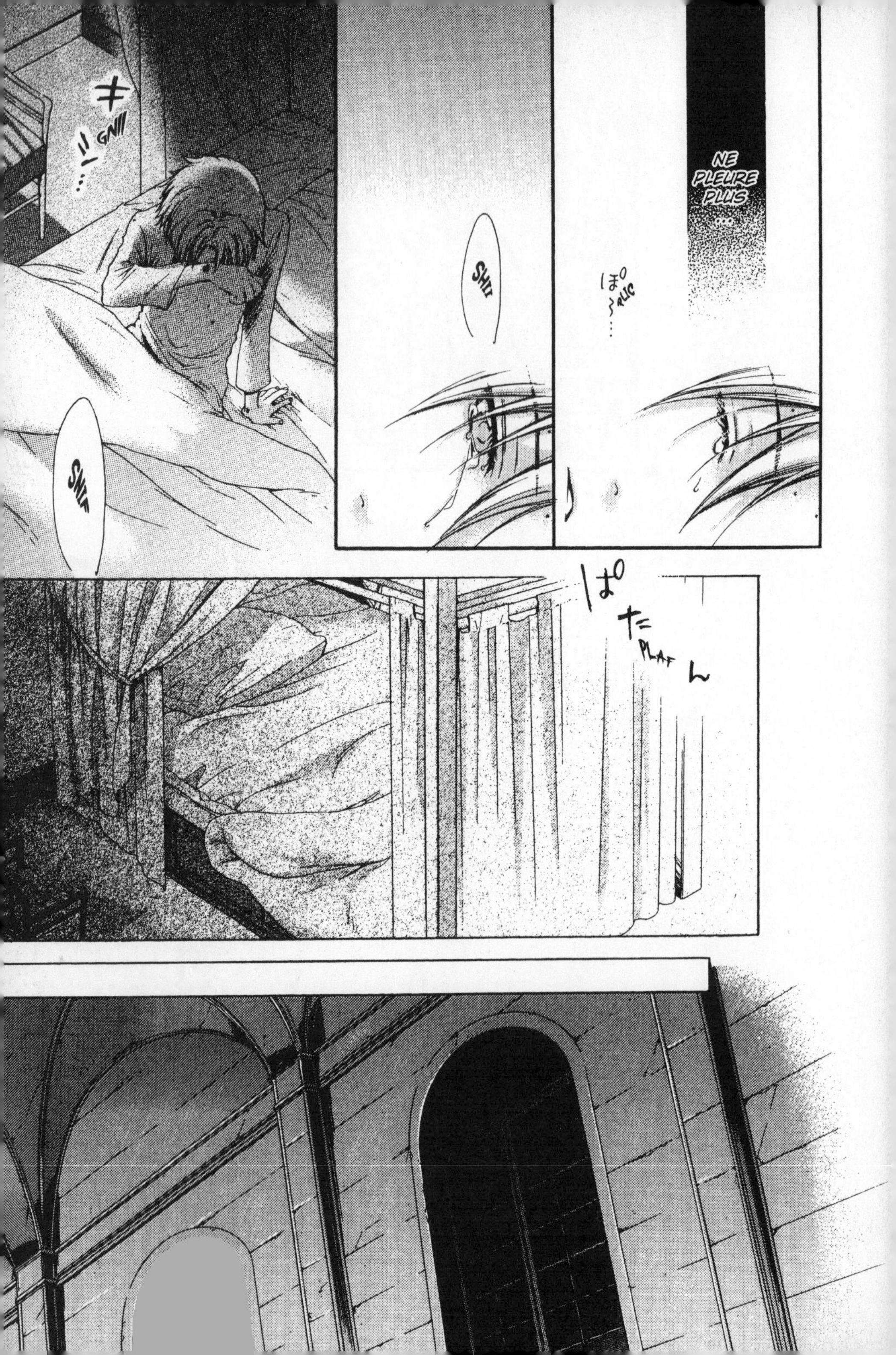
NE PLEURE PLUS...
SHII
GNII
SNIF
PLAF

"SHIO N'A QUE 12 ANS !"
"ET ALORS, IL POURRA SÛREMENT SE FAIRE DES AMIS LÀ-BAS ?
"IL PLEURE TOUS LES JOURS ...
EN DISANT QU'IL N'EN A PAS..."
"JE NE SAIS PLUS QUOI FAIRE POUR LUI VENIR EN AIDE !
PIRE ...
JE N'ARRIVE MÊME PLUS À..."
D'ACCORD.
ENTENDU, MAMAN.
ON VA FAIRE COMME TU VEUX ...
ALORS ...

APRÈS CELA …
SEULS LES ÉLÈVES TRÈS CROYANTS ONT CONTINUÉ DE L'APPROCHER.
"MAIS… TU N'AS PAS PEUR … DE MOI ?"
HAA …
BOM
JE NE VOIS PAS CE QUE ÇA A DE DRÔLE.
HA HA !
AH BON ?
MOI, ÇA M'INTÉ-RESSE !
C'EST POUR ÇA …
QU'IL EST VENU DANS UNE ÉCOLE CATHOLIQUE ?

PAR CONTRE …
CEUX-LÀ SONT TOUT DE SUITE DÉMASQUÉS À L'INSPECTION MÉDICALE.
LES VRAIS SONT CEUX POUR QUI ON NE TROUVE PAS D'EXPLICATION RATIONNELLE.
IL EN FAIT PARTIE …
EN PLUS, UNE DRÔLE DE LÉGENDE LE CONCERNE.
ON DIT QUE CELUI QUI S'EN PREND À LUI SUBIRA DES REPRÉSAILLES.
IL Y A DEUX ANS …
DES ÉLÈVES SE SONT MOQUÉS DE SES STIGMATES …
ET ILS ONT TOUS FINI À L'HÔPITAL !

すとん
PLAF
C'EST UN STIGMATISÉ.
UN QUOI ?
AH, C'EST VRAI …
QUE CE N'EST PAS TRÈS CONNU DANS TON PAYS.
CE SONT LES BLESSURES QU'A SUBIES LE CHRIST LORSQU'IL A ÉTÉ CRUCIFIÉ.
LA COURONNE DE RONCES SUR SON FRONT, LES CLOUS AUX MAINS ET AUX PIEDS …
LE FLANC TRANSPERCÉ PAR LA LANCE …
C'EST AINSI QU'ON APPELLE CEUX QUI PORTENT CES MARQUES.
…
IL NE ME CROIT PAS …
TU ES SÛR …
QU'IL NE S'EST PAS FAIT ÇA TOUT SEUL ?
IL Y EN A QUI LE FONT …
POUR LA CONSIDÉRATION AU SEIN DE L'ÉGLISE OU POUR L'ARGENT.

TIENS ?
DEPUIS QUAND ES-TU AMI AVEC NOTRE PETIT SAINT ?
ZOUP
SHII
HÉ !
TU PARS DÉJÀ ?
DOM-MAGE...
J'AURAIS BIEN AIMÉ LUI PARLER.
TU SAIS...
QUI C'EST, AU MOINS ?
UN "SAINT" ?
TU N'ES PAS AU COURANT ?
C'EST LUI QUI M'A SAUTÉ DESSUS !
PFU..

DES CAUCHE-MARS ?
ET ÇA NE TE FAIT PAS PEUR DE SORTIR SEUL APRÈS CE GENRE DE RÊVE ...
PAUVRE GAMIN ...
DANS CES COULOIRS SI SOMBRES ?!
C'EST PIRE ENCORE DE RESTER DANS MA CHAMBRE ...
TOUT SEUL.
HUM...
SI TU VEUX ...
JE POURRAIS DORMIR AVEC TOI ...
...
MAIS... TU N'AS PAS PEUR ...
DE MOI ?
AH !
TU ÉTAIS LÀ ?

DEMANDE UNE AUTORISATION AUSSI, ALORS.
WOUAAH...
JE...
IL N'ACCEPTERA...
JAMAIS.
J'AI DÉJÀ ESSAYÉ PLEIN DE FOIS...
MAIS IL S'EN FICHE.
POURTANT MOI AUSSI...
JE TROUVE QUE TU POURRAIS TE CONFESSER PENDANT LA JOURNÉE.
ÇA ME CALME D'ALLER PRIER À L'ÉGLISE...
QUAND J'AI DES CAUCHE-MARS.

ÇA N'A PAS L'AIR DE TE GÊNER...
DE M'AVOIR DÉNONCÉ !
!
TU ME SOÛLES !
ぱし
PAF
À force de crier...
JE SUIS FATIGUÉ, ALORS DÉGAGE !
TON CHEF DE DORTOIR NE VOUS A PAS PRÉVENUS ?
TOUS CEUX QUI SE BALADENT UNE FOIS LES LUMIÈRES ÉTEINTES...
DOIVENT ÊTRE DÉNONCÉS !
Je sais...
TU ÉTAIS DEHORS AUSSI, NON ?
GRRR...
FRANCHEMENT J'AURAIS PRÉFÉRÉ DORMIR !
QUE J'AI UNE DÉROGATION.
C'EST À CAUSE DE L'AUTRE ÉNERGUMÈNE...
CE N'EST PAS JUSTE !!

TOI !!
ENFIN JE TE TROUVE !
QU'EST-CE QU'IL T'A PRIS DE CAFARDER, SALE LÂCHE !!
TIENS ?
ON SE CROISE BIEN SOUVENT !
GRIP
IMBÉ-CILE !!
C'EST PARCE QUE JE TE CHERCHAIS !!
...
ET
AH BON ...
POURQUOI ?
ES...
PÈCE ...
DE...

L'AUTRE JOUR, DE LA DROGUE A ÉTÉ TROUVÉE DANS LES AFFAIRES D'UN ÉLÈVE.
UN DES ÉLÈVES DE L'ÉCOLE ...
CIRCULE AVEC DE LA DROGUE !
MAIS ...
ON NE SAIT PAS ENCORE DE QUI IL S'AGIT.
DE LÀ À LE CHÂTIER ?!
IL NE PEUT S'EN PRENDRE QU'À LUI-MÊME ...
S'IL EST SUSPECTÉ !
LES CHEFS DE DORTOIR SONT SUR LES NERFS ...
DÈS CE SOIR ...
J'EXIGE QUE LES CONFESSIONS SOIENT TERMINÉES AVANT L'HEURE DU COUCHER !

OÙ EST-CE QUE TU REGARDES ?!
JE TE PARLE !!
!
AH... OUI !
JE T'AI DÉJÀ DIT D'ALLER TE CONFESSER À UN AUTRE MOMENT !
TU NE PEUX PAS TE DÉBROUILLER POUR FAIRE ÇA AVANT LE COUVRE-FEU ?!
...
TU SAIS POURTANT TRÈS BIEN ...
DANS QUELLE SITUATION ON SE TROUVE, NON ?!
A...
ATTENDS UN PEU !
HIER SOIR ...
SHIO EST VENU DANS MES APPARTEMENTS.
IL N'A RIEN FAIT DE MAL.
CE N'EST PAS UNE RAISON ...
POUR FERMER LES YEUX !

...
TAP
TAP
SHIO GRAGIANO !
OU... OUI ?
DIS DONC, TOI ...
IL PARAÎT QUE TU ES ENCORE SORTI DE TA CHAMBRE ...
HIER SOIR ?
HA ...
GLOUP
GNN
AH ... IL M'A REPÉRÉ ...
GRRR
GRRR

ALLEZ-Y, REMETTEZ-LE À SA PLACE !
MOI, JE N'ARRIVE PLUS À LE CALMER TOUT SEUL.
HAA !
SALE TRAÎTRE !
WHAA
WHAA !
WON !!
PFF...
CE GAMIN ...
C'EST CELUI DE LA NUIT DERNIÈRE ...

ÇA FAISAIT UN MOMENT ... QUE J'AVAIS PAS TROUVÉ QUELQUE CHOSE D'AUSSI EXCITANT !
...
...
QUOI ?
VOUS VOULEZ QUELQUE CHOSE ?
Vous faites peur !
CETTE FOIS, IL EST HORS DE QUESTION QU'ON TE LAISSE FAIRE !
TOUT À L'HEURE AVEC LE PRÊTRE ...
QU'EST-CE QUE ÇA VOULAIT DIRE ?!
JE NE VOIS PAS DE QUOI TU PARLES ...
N'EST-CE PAS ?

...
WHAA
WHAA
WHAA
JE SAVAIS QUE TU NE RECULAIS VRAIMENT DEVANT RIEN ...
MAIS T'EN PRENDRE AU PRÊTRE !
IL EST MIGNON, NON ?
ET ENCORE PUCEAU À SON ÂGE, AVEC ÇA !
Sérieux !

VOICI ...
LE CORPS DU CHRIST ...
AMEN.
...
!
GLOUP
TIP
SHII
WHAA

DONG
DONG
CLANG
Bon... ON VA RECEVOIR L'HOSTIE ?
CLANG
VOICI ...
LE CORPS DU CHRIST.
AMEN.
HA...

MON PATRON A DÉCIDÉ D'INSCRIRE SON FILS DANS UNE ÉCOLE DE GARÇONS...
À CAUSE DE SES HISTOIRES AVEC LES FILLES ET DE SES DÉBAUCHES.
Lux aeterna luceat eis, Domine, cum sanctis tuis in aeternum; quia puis es.
Requiem aeternam dona eis,Domine; et lux perpetua luceat eis.
MOI, JE L'AI REJOINS ICI, À L'ORIGINE POUR LE SURVEILLER...
EMILIO ?
TU AS L'AIR DE BIEN BONNE HUMEUR, NON ?
LE PROBLÈME, C'EST QU'IL NE S'ARRÊTE JAMAIS.
GARÇON OU FILLE, C'EST PAREIL POUR LUI.
C'EST VRAI.
J'AI TROUVÉ UN NOUVEAU JEU, DERNIÈREMENT.

LES SORTIES APRÈS L'EXTINCTION DES FEUX SONT...
LÂCHE-MOI !!
CRITCH
AÏE !!
HA... HÉ !!
TAP
TAP
TAP
...
Il m'a griffé...
PLIC

TAP
TAP
WIUM
!
GLOUP
ATTENDS !
QU'EST-CE QUE TU FAIS DEHORS À CETTE HEURE-CI ?!
GRAP

TOI, JE DOIS JUSTE TE PROTÉGER, EMILIO !
RIEN DE PLUS !
CELUI À QUI J'OBÉIS, C'EST TON PÈRE !
TU RENTRES DÉJÀ ?
JE N'AI PAS ENCORE FINI, MOI.
ÇA REVIENT AU MÊME...
DÉBROUILLE-TOI TOUT SEUL.
JE NE RESTE PAS ICI UNE MINUTE DE PLUS.

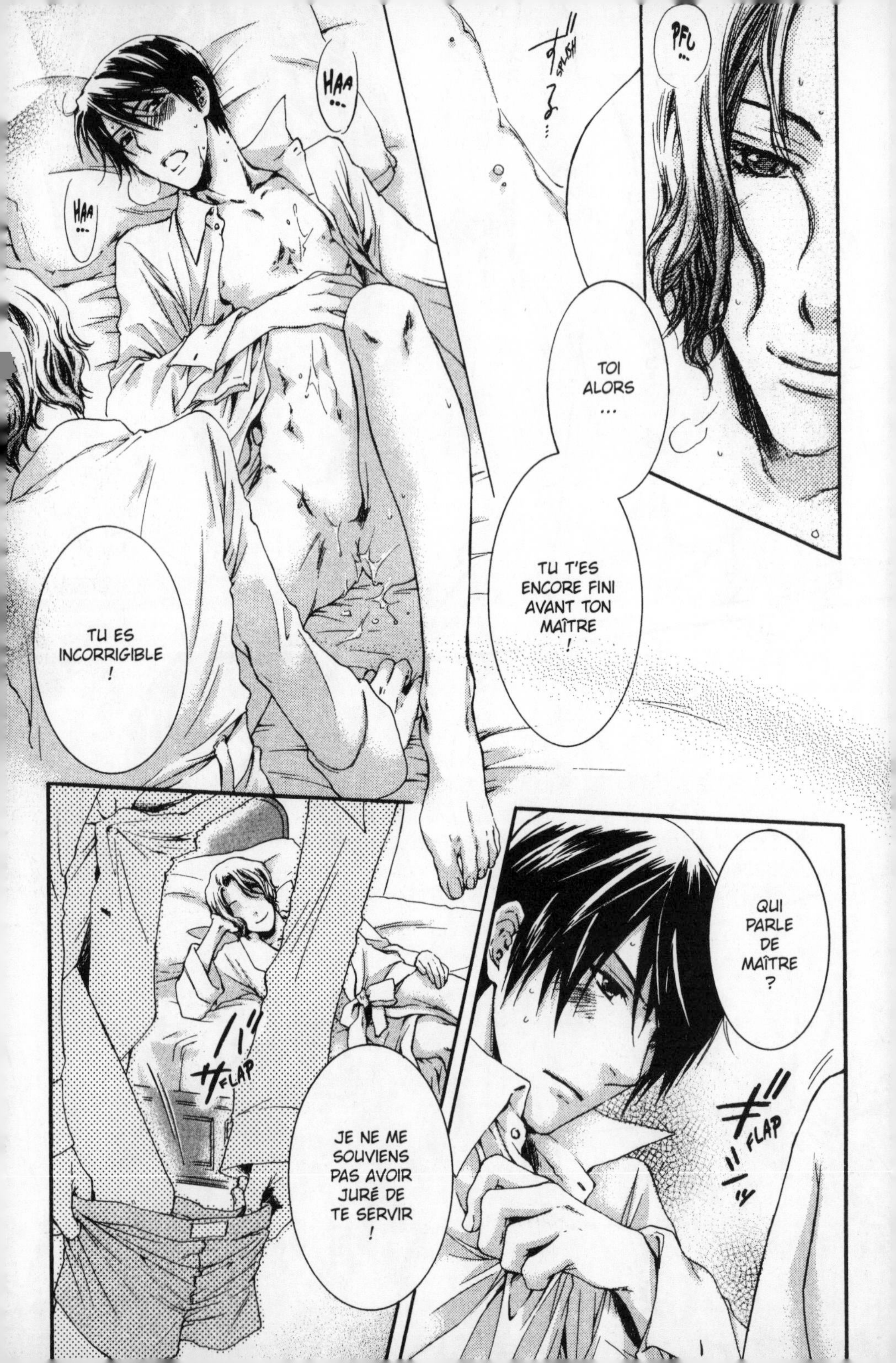
PFU...
SPLISH
HAA...
HAA...
TOI ALORS...
TU T'ES ENCORE FINI AVANT TON MAÎTRE !
TU ES INCORRIGIBLE !
QUI PARLE DE MAÎTRE ?
FLAP
JE NE ME SOUVIENS PAS AVOIR JURÉ DE TE SERVIR !
FLAP

ばん
SLAM
HA HA ...
TU N'AS TOUJOURS PAS RETENU COMMENT FAIRE, WON ?
GNII
HAA ...
ÇA ...
CE N'EST PAS MON TRUC ...
RETIRE-TOI !
HAA ...
HA HA ...
ALLEZ !
SERRE-MOI BIEN ICI ...
AU MOMENT OÙ JE ME RETIRE.
SHH
GNIII
PSHIII

HAAAA!!
HAA...
HAA...
HAA...
SCHLAF
HAA...
HAA...
WHUM
TAP